#19
R.L. STEVENSON BRANCH LIBRARY
803 SPENCE STREET
LOS ANGELES, CA 90023

S0-BMS-447

500 ideas

ganchillo • punto • fieltro • costura

NINETEEN

NOV 1 8 2014

S
747.2
N576

217/30146

500 ideas

ganchillo • punto • fieltro • costura

BLUME

Nguyen Le

BLUME

Título original:
500 fun little toys

Edición Hazel Eriksson, Donna Gregory
Fotografías Susie Bell
Diseño Rod Teasdale
Dirección de arte Michael Charles
Traducción Remedios Diéguez Diéguez
Coordinación de la edición en lengua española
Cristina Rodríguez Fischer

Primera edición en lengua española 2013

© 2013 Naturart, S.A. Editado por BLUME
Av. Mare de Déu de Lorda, 20
08034 Barcelona
Tel. 93 205 40 00 Fax 93 205 14 41
e-mail: info@blume.net
© 2013 Quintet Publishing Limited, Londres

ISBN: 978-84-15317-58-6

Impreso en China

Todos los derechos reservados. Queda prohibida la reproducción
total o parcial de esta obra, sea por medios mecánicos o electrónicos,
sin la debida autorización por escrito del editor.

WWW. BLUME.NET

Este libro se ha impreso sobre papel manufacturado con materia prima
procedente de bosques de gestión responsable. En la producción de nuestros
libros procuramos, con el máximo empeño, cumplir con los requisitos
medioambientales que promueven la conservación y el uso sostenible
de los bosques, en especial de los bosques primarios. Asimismo, en nuestra
preocupación por el planeta, intentamos emplear al máximo materiales
reciclados, y solicitamos a nuestros proveedores que usen materiales
de manufactura cuya fabricación esté libre de cloro elemental (ECF)
o de metales pesados, entre otros.

contenido

introducción

Los juguetes hechos a mano son especiales, ya sean para regalar o para uno mismo. Los aprecian y disfrutan personas de cualquier edad. Todos recordamos los juguetes favoritos de cuando éramos niños, y en ocasiones incluso los pasamos a la siguiente generación para que continúen entreteniéndose con ellos. Fomentan la creatividad y la imaginación, y hasta ayudan a relajarse cuando es necesario. Este libro es perfecto para aquellos que buscan patrones e inspiración para tejer y coser juguetes, e incluye diversas técnicas, por lo general combinadas, a fin de crear piezas más interesantes.

Me encanta la ilusión que experimento cuando concibo un nuevo proyecto; entonces siento el deseo de empezar inmediatamente para tener ya la pieza terminada en mis manos. El interés de este libro radica en que la mayoría de los proyectos no llevan mucho tiempo y se pueden acabar en solo unas horas. Es perfecto para obtener una gratificación al instante y para los artesanos de última hora como yo.

Para los proyectos que presentamos se emplean técnicas básicas de punto, ganchillo y costura. Son muy apropiados para principiantes, y resultan tan bonitos que también los expertos disfrutarán creándolos. Asimismo, incluimos instrucciones generales para crear cinco variaciones de cada juguete. En conjunto, el libro le aportará ideas e inspiración; espero que le ayude a ser creativo y a poner su granito de arena en los proyectos.

Todos los juguetes elegidos para este libro son clásicos, con la excepción del teléfono móvil de ganchillo. El resto de las piezas son atemporales, de modo que pueden disfrutar de ellas todas las generaciones. Así pues, tanto si quiere hacer un regalo a una futura mamá, para un cumpleaños o para usted mismo o sus hijos, este libro le ayudará a crear juguetes preciosos y muy preciados.

¡Felices creaciones!
Nguyen

herramientas y materiales esenciales

agujas de tejer
Por lo general, son de metal ligero, madera, bambú o plástico. Existen en diversas medidas, tanto en cuanto a diámetro como en cuanto a longitud, pues cada una determina el grosor del hilo y el número de puntos necesarios.

calibrador de agujas con regla
El calibrador con regla resulta útil si sus agujas de tejer no cuentan con indicaciones relativas al tamaño. En este caso, introduzca la aguja por los sucesivos orificios hasta que encuentre la medida correcta. Un lado incluye una regla y el otro es el calibrador. A mí me gusta la cinta métrica de 150 cm que incluye pulgadas y centímetros a cada lado. Como algunos de los proyectos de este libro requieren que se tomen medidas y se marque un cuadrado o un rectángulo, la regla le ayudará a trazar una línea de corte recta.

agujas de ganchillo
Similares a las agujas de tejer, pueden ser de diferentes materiales (metal ligero, madera, bambú o plástico), y también se presentan en varias medidas. Difieren de las agujas de tejer en que tienen un gancho en el extremo y sólo se necesita uno para tejer. El tamaño del ganchillo necesario para cada proyecto viene determinado por el grosor del hilo y el número de puntos.

contador de filas
Se utiliza para contar el número de filas que hemos tejido (punto o ganchillo).

tijeras
Unas tijeras pequeñas y afiladas constituyen una herramienta esencial para cortar hilos sueltos y cabos. Las más grandes son imprescindibles para cortar patrones de tejido.

marcadores de puntadas
Resultan útiles para contar puntadas y repeticiones, así como para marcar el comienzo de un círculo si tejemos piezas circulares. Existen diferentes marcadores de puntadas: el de punto es un aro cerrado que se puede colocar sobre la aguja de tejer cuando se trabaja en redondo; el marcador de ganchillo cuenta con una abertura para introducir y sacar el primer punto del círculo.

cinta métrica y regla

Algunos proyectos exigen una determinada longitud; en este caso, la cinta métrica nos ayudará a ir midiendo al mismo tiempo que avanzamos.

alfileres rectos

Se utilizan en proyectos de punto, ganchillo y costura para sujetar piezas mientras se trabaja. Elija alfileres con cabezas de colores vivos, ya que se ven mucho mejor.

agujas para tapices, costura y bordados

Las agujas para tapices se presentan en diferentes tamaños. El ojo tiene que ser lo bastante grande como para permitir el paso del hilo, mientras que la punta debe ser relativamente roma. Las agujas de bordar tienen el ojo más grande que las de costura; en ambos casos, podrá encontrarlas en diferentes longitudes y tamaños para distintos tejidos y proyectos. La aguja debe deslizarse a través de la tela sin tirar de ella, ya que en ese caso podrían quedar agujeros.

agujas para coser fieltro y almohadillas de espuma

Existen agujas de diferentes tamaños para coser fieltro. Las más pequeñas (40-42) son de punta fina y se emplean para la lana más delicada y los trabajos de precisión. Las agujas de mayor calibre (36 y 38, por ejemplo) se usan con lanas más gruesas. A mí me gusta la aguja de tamaño 38, que es un calibre medio, y es útil tanto con fibras finas como gruesas. La almohadilla de espuma se utiliza para proteger la mesa de trabajo y la aguja. Sobre ella se coloca el proyecto. Puede adquirir espuma específica para fieltro, aunque también va bien la que se emplea para coser cojines.

máquina de coser

Existen diferentes modelos de máquinas de coser, pero todas realizan las mismas puntadas básicas. Los patrones de costura de este libro requieren puntadas rectas y en zigzag. Las máquinas de coser resultan de mucha ayuda para las piezas de gran tamaño, pero no son imprescindibles para realizar los proyectos de este libro. Si dispone de máquina de coser, utilícela; si no, cosa a mano.

tiza de sastrería

Puede elegirla de color claro u oscuro en función del tono de los tejidos con los que trabaje. Las marcas desaparecen al lavar las piezas o al frotar la tela.

rotulador para tejidos soluble en agua

Es perfecto para marcar las costuras en telas de colores claros. Las líneas desaparecen con el lavado.

girador de puntos

Se trata de una pieza de plástico o de madera que se utiliza como ayuda para trabajar una esquina o una costura curvada. Puede adquirir un girador de puntos específico o usar un palillo chino o la punta de una aguja de tejer.

plancha

Esencial para alisar los tejidos, los márgenes de costura y los dobladillos.

tejido de algodón

La mayoría de los patrones de costura de este libro requieren un tejido 100% algodón. Existen diferentes pesos de algodón, pero los que empleamos aquí son, principalmente, de peso ligero a medio. Si dispone de otro tipo de tejidos, no dude en utilizarlos y no se preocupe demasiado por la cantidad de tela. Los juguetes son proyectos pequeños, perfectos para aprovechar retales.

fieltro

Existen dos tipos principales de fieltro: el artesanal y el de lana. En algunos proyectos, también se puede usar una mezcla de lana y rayón. Emplee lo que prefiera. El artesanal es mucho más económico que el de lana, mientras que las mezclas de lana constituyen una opción de precio medio.

hilo para tejer

Existe una gran variedad de fibras, colores y pesos. La mayoría de los hilos usados para los proyectos de este libro son mezclas de lana o algodón, pero no dude en sustituirlos por los hilos de que disponga. Asegúrese de utilizar el tamaño correspondiente de agujas para el hilo que vaya a emplear (*véase* «Tensión del punto y el ganchillo»). Los diferentes pesos de hilo requieren agujas de tamaños distintos.

fibras para hilar

Son las fibras sin tejer, antes de convertirlas en hilos; por tanto, se trata de una masa esponjosa, como bolas de algodón. Los proyectos de este libro requieren fibras de lana, y las más gruesas, como la Corriedale, son mejores para los fieltros.

hilo para coser

Como en el caso del hilo para tejer, existen diversas variedades. El de algodón o el de poliéster multiusos son adecuados para los proyectos de este libro.

hilo para bordar

Es más grueso que el hilo para coser y se vende doblado en seis hebras. Estas se separan, de modo que se puedan utilizar con los grosores necesarios. Normalmente, yo uso hilo para bordar de hebra doble para hacer los rasgos faciales de las figuras y las costuras traseras.

tensión del punto y el ganchillo

Dado que los proyectos de este libro son juguetes, y no ropa, no ocurre nada si la pieza final resulta un poco mayor o menor que la que presentamos en estas páginas. Cuando sustituya el hilo, asegúrese de que las puntadas tengan la suficiente tensión como para que el relleno no salga fuera. En general, esto significa que hay que reducir uno o dos tamaños de las agujas para el hilo en particular. Con una muestra podrá calcular la medida de la aguja para conseguir la tensión necesaria. Estire las muestras tejidas para comprobar cómo quedará el material cuando lo rellene; tenga en cuenta la cantidad de relleno que va a utilizar. El ganchillo es más rígido que el punto, por lo que no verá agujeros si no estira el tejido.

técnicas esenciales

punto

crear un nudo corredizo

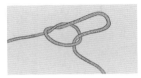

1 Sujete el hilo con ambas manos y forme un pequeño bucle. Tome la pieza con la mano derecha por debajo del bucle.

2 Tire de ese hilo atravesando el bucle original para hacer un nudo. No tire del extremo corto del hilo a través del bucle.

3 Introduzca una aguja en el nudo corredizo.

sujetar las agujas

método inglés
La mano izquierda sostiene las agujas mientras se realizan los puntos. El hilo se sujeta con la mano derecha y pasa alrededor de la aguja derecha.

método continental
El hilo se sujeta con la mano izquierda y la aguja derecha «recoge» el hilo de la mano izquierda.

montar los puntos

Este es el primer paso para tejer a mano, y proporciona la primera fila de lazadas en la aguja. Los dibujos inferiores muestran el punto cable, pero si prefiere otro método, no dude en practicarlo.

1 Introduzca el nudo corredizo en una aguja de tejer, que deberá sujetar con la mano izquierda. Deslice la aguja derecha de delante hacia atrás a través del bucle creado con el nudo corredizo.

2 Con la mano derecha, pase el hilo alrededor de la aguja derecha en el sentido contrario a las agujas del reloj y desde atrás hacia delante.

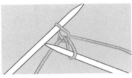

3 Deslice la aguja derecha a través del bucle de la aguja izquierda tomando el hilo envuelto y pasándolo a través del bucle para crear una nueva lazada.

4 Pase la aguja izquierda por encima de la nueva lazada, pasando la aguja por la lazada de la aguja derecha. Retire esta aguja de manera que el punto pase a la aguja izquierda.

5 Realice los puntos siguientes colocando la aguja derecha entre los dos últimos puntos de la aguja izquierda y repita los pasos 2-4.

puntos del derecho y del revés

La mayoría de los puntos se basan en combinaciones de dos puntos básicos: el derecho y el revés.

punto del derecho

  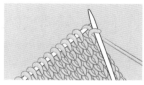

1 Sujete la aguja con los puntos que va a tejer en la mano izquierda; el hilo debe estar detrás de la pieza.

2 Introduzca la aguja derecha en el punto desde delante hacia atrás. Saque el hilo por encima de manera que se forme una lazada.

3 Lleve la aguja y la nueva lazada hacia delante atravesando el punto y deslice el punto original hacia fuera de la aguja izquierda.

punto del revés

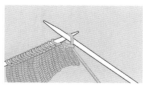 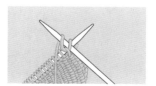 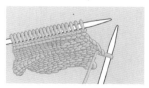

1 Sujete los puntos que va a tejer en la mano izquierda con el hilo por delante de la pieza.

2 Introduzca la aguja derecha a través de la parte delantera del punto, de derecha a izquierda. Lleve el hilo por debajo de manera que se forme una lazada.

3 Lleve la aguja y la nueva lazada hacia atrás y deslice el punto fuera de la aguja izquierda.

rematar

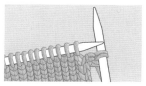

1 Cuando llegue al extremo por donde desea rematar, teja los dos primeros puntos.

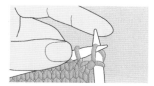

2 Deslice la aguja izquierda dentro del primer punto de la aguja derecha y levántela sobre el segundo punto, de forma que este salga de la aguja.

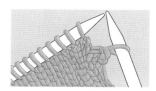

3 Continúe de manera que se formen de nuevo dos puntos en la aguja derecha.

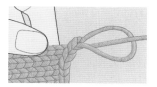

4 Repita los pasos 2 y 3 hasta que todos los puntos estén tejidos en la aguja izquierda y quede uno en la aguja derecha. Realice la última lazada más grande, rompa el hilo y tire con firmeza a través de la última puntada para sujetarlo.

variaciones de los puntos básicos

punto de liga
Si trabaja solo con puntos del derecho o con puntos del revés, los sucesivos puntos darán lugar a un tejido conocido como punto de liga. Es igual por ambos lados.

punto jersey
Para tejer con punto jersey, trabaje las filas de puntos del derecho y puntos del revés alternativamente.

El tejido de punto jersey es diferente por cada lado. El derecho es suave y, como podrá ver, en él los puntos crean un efecto de zigzag. El revés es abultado y se asemeja un poco al punto de liga.

punto musgo (o punto semilla)
El tejido de punto musgo parece tener pequeñas semillas que lo atraviesan. Se realiza tejiendo un punto del derecho y el siguiente del revés a lo largo del derecho del tejido. En el revés, se tejen los puntos del revés.

realizar un aumento (1a)
Normalmente se hace tejiendo en el envés de la «barra» entre puntadas. Se trata de un aumento limpio entre dos puntadas.

1 Pase la aguja derecha por debajo de la «barra» de hilo entre dos puntadas, de delante hacia atrás.

2 Deslice la lazada en la aguja izquierda y retire la aguja derecha.

tejer dos puntos del derecho juntos (2pdj)

La disminución se realiza principalmente trabajando dos o más puntos juntos para formar uno solo. En una fila de puntos del derecho, se crea una inclinación hacia la derecha.

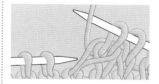

3 Pase la aguja por detrás de la lazada para retorcerla; para ello, introduzca la aguja derecha por detrás del hilo de la izquierda, de derecha a izquierda.

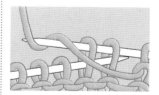

1 Deslice la aguja derecha a través del segundo punto, y después del primero, de la aguja izquierda, de delante hacia atrás. Pase el hilo alrededor de la aguja derecha, como un punto derecho normal.

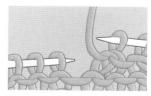

2 Trabaje los dos puntos juntos y deslícelos desde la aguja izquierda.

tejer dos puntos del revés juntos (2prj)

Trabajar dos o más puntos juntos en el revés de la pieza tejida crea una inclinación a la derecha en el derecho de la pieza.

4 Termine el punto como un punto del derecho normal y retire la aguja izquierda de manera que el nuevo punto pase a la aguja derecha.

1 Deslice la aguja derecha a través de los dos primeros puntos de la aguja izquierda.

2 Trabaje del revés los dos puntos como si se tratase de uno solo y deslice ambos desde la aguja izquierda.

**pasar 1 punto, pasar
1 punto, tejer los dos juntos
del derecho (d, d, jpd)**

Simplemente, se pasan los dos
puntos siguientes y después
se tejen juntos (es una disminución
hacia la izquierda).

punto duplicado

Este punto permite añadir cierto colorido a una pieza.

1 Enhebre una aguja para tapiz y
pásela desde detrás hacia delante
a través del punto inferior central
de un punto derecho en V.

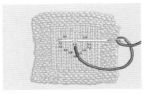

2 Tire de la aguja de derecha
a izquierda por debajo de las
piernas inferiores del punto situado
por encima del que está duplicando.
Tire del hilo suavemente para que se
asiente encima del punto inferior.

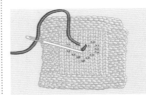

3 Introduzca la aguja en el primer
orificio desde delante hacia
atrás. Habrá completado un punto
duplicado.

4 Continúe con las puntadas hasta
el siguiente punto que desee
duplicar y siga con el proceso
hasta que obtenga los puntos
duplicados deseados.

cordón tejido

El cordón tejido ofrece una manera sencilla de tejer un pequeño tubo de cordón.

1 Monte tres puntos (o los que su patrón requiera) en una aguja de doble punta y trabájelos.

2 Deslice los puntos hacia el otro extremo de la aguja (derecho) sin girarla y cámbiese las agujas de manos.

3 Trabaje los puntos tirando del hilo, de manera que gire sobre sí mismo.

4 Continúe tejiendo hasta que la longitud del cordón sea la deseada.

tejer extremos

1 Pase el hilo entre las lazadas siguiendo el borde de la pieza a lo largo de 4-5 cm. A continuación, cosa por detrás algunos de los últimos puntos para asegurarlos.

2 Pase el extremo a través de los puntos introduciendo la aguja desde la parte superior del primer punto, después por debajo y alternando los siguientes a lo largo de 4-5 cm. Cosa por detrás algunos de los últimos puntos para asegurarlos.

costura invisible (punto colchonero)

Técnica de costura que se utiliza para unir dos piezas de punto. *Véase* la técnica en la pág. 30.

tejer en redondo con agujas de doble punta (adp)

Divida los puntos entre tres o cuatro agujas. Cuando termine de montar una fila, utilice la cuarta/quinta aguja para tejer. Cuando todos los puntos de una aguja se hayan montado en la cuarta, use la aguja libre para trabajar los puntos a partir de la siguiente aguja. Mantenga consistente la tensión de los puntos cuando los pase de una aguja a otra; tire con firmeza del hilo cuando trabaje el primer punto en la otra aguja para evitar que el tejido pierda la línea recta. Asegúrese de que la fila montada no quede girada antes de empezar a tejer y utilice un marcador de puntos para identificar el primer punto.

bloqueo

El bloqueo es una técnica de rematado que ayuda a dar forma a las piezas tejidas y a alisar los puntos antes de coserlos. Empiece sujetando la pieza sobre un tablero de bloqueo del tamaño adecuado (yo empleo la tabla de planchar para las piezas pequeñas). Puede trabajar con el vapor de la plancha para bloquear las piezas, o también puede sujetarlas con alfileres, rociarlas con un poco de agua y dejar que se sequen.

abreviaturas

m: montar
r: rematar
tpd: tejer punto del derecho
pr: punto del revés
p: punto
ps: puntos
pj: punto jersey
1adr: 1 aumento intercalado
y tejerlo del derecho retorcido
pdr: tejer punto del derecho
y del revés

2pdj: tejer 2 puntos del derecho
juntos
d, d, jpd: pasar 1 punto, pasar 1 punto,
tejer los dos juntos del derecho
adp: aguja de doble punta
c: continuar
rep: repetir
f: fila

ganchillo

sujetar el ganchillo y el hilo

Existen dos métodos para sujetar el ganchillo: el de lápiz y el de cuchillo.

Para sujetar el hilo, colóquelo de la siguiente manera en su mano izquierda: por encima del dedo índice, por debajo del dedo corazón y por encima del anular. Si cree que el hilo queda demasiado suelto, enróllelo alrededor del meñique para tener más control. Otro método consiste en enrollar el hilo dos veces alrededor del dedo índice.

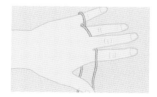

Elija el tipo de sujeción y la colocación del hilo que le resulten más cómodos y le permitan mayor control de la tensión del hilo.

punto cadena

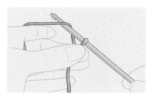

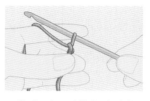

1 Empiece con un nudo corredizo en el ganchillo. Sujételo entre los dedos pulgar y corazón de la mano con la que mantendrá el hilo.

2 Lleve el hilo desde atrás y por encima del gancho (lazada).

3 Deslice el ganchillo hacia abajo, sujetando el hilo y tirando a través de la lazada en el ganchillo: tendrá el primer punto cadena.

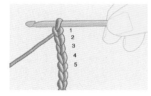

4 Sujete cada nueva cadena con los dedos a medida que avanza para mantener la tensión uniforme.

5 Observe la forma en V de las cadenas vistas por delante. De ese modo, el número de puntos se cuenta fácilmente. Gire la cadena y verá los surcos posteriores, la «columna» de la cadena.

punto doble (pd)

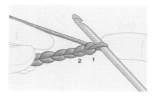

1 Introduzca el ganchillo
en la segunda V.

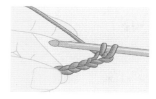

2 Realice una lazada. Tendrá
dos lazadas en el ganchillo.

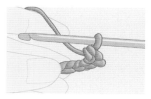

3 Realice otra lazada y llévela
a través de las dos lazadas
anteriores para completar el punto.
Introduzca el ganchillo en la siguiente
cadena y complete los pasos 2 y 3.
Repita el proceso en cada cadena.

4 Para trabajar la siguiente
fila, realice una cadena y gire
la pieza. Introduzca el ganchillo en el
primer punto por debajo de las dos
lazadas superiores y complete los
pasos 2 y 3. Continúe trabajando
los puntos sencillos a lo largo
de la fila.

punto medio alto (pma)

  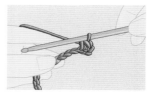

1 Teja una lazada e introduzca el ganchillo en la tercera cadena.

2 Teja una lazada y forme un bucle. Tendrá tres puntos en el ganchillo.

3 Teja una lazada y pase a través de los tres puntos del ganchillo para completar el punto. Introduzca el ganchillo en la siguiente cadena y repita los pasos 2 y 3. Repita el proceso a lo largo de cada cadena.

 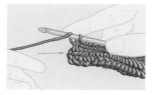

4 Para trabajar la siguiente fila, realice dos puntos cadena y gire la pieza. Introduzca el ganchillo en el segundo punto (omita el primero). Trabaje por debajo de los dos puntos superiores y complete los pasos 2 y 3.

5 Continúe trabajando los puntos en cada fila. El último punto se realizará en la cadena superior de la cadena anterior girada.

Tenga presente que algunos diseños que utilizan este punto no cuentan como punto las dos cadenas que se giran porque tienden a dejar huecos en los bordes de las filas. Si es su caso, puede unir el primer punto de la fila al primer punto y no creará un punto en la cadena girada al final de la fila.

anillo mágico

Para un centro redondo bien cerrado, con muchas puntadas, este es el método adecuado. No obstante, no lo utilice con hilos resbaladizos, ya que le resultará difícil mantener la tensión adecuada.

1 Enrolle el hilo alrededor del dedo índice en el sentido contrario a las agujas del reloj y crúcelo sobre el hilo con el que va a trabajar. Asegúrese de dejar al menos 15 cm de hilo para tejer después.

2 Deslice el bucle para retirarlo del dedo al tiempo que sujeta la X que acaba de formar.

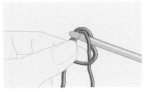

3 Introduzca el ganchillo por delante del bucle, pero por detrás del hilo con el que va a trabajar.

4 Forme un bucle con ese hilo y sujételo al ganchillo con el dedo índice. Forme una lazada y un punto cadena para asegurarlo. Trabaje sobre el bucle y la cola del hilo a medida que completa la primera vuelta. Tire de la cola del hilo para tensarlo.

aumentar

Para aumentar el número de puntos en una fila o vuelta, solo tiene
que colocar más de un punto en un punto de la fila o vuelta anterior.

disminuir el punto doble

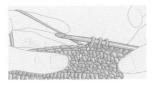

1 Introduzca el ganchillo en el
primer punto y forme un bucle.
Meta el ganchillo en el siguiente
punto y forme otro bucle.

2 Tendrá tres bucles en el
ganchillo. Forme una lazada
y estire a través de los tres bucles.

incorporar un nuevo hilo o color

Es muy probable que quiera introducir un nuevo ovillo de hilo al final
de una fila o bien que el patrón indique cambios de color. Esta técnica
resulta válida en ambos casos.

1 Trabaje el último punto, pero
deténgase en el último paso
antes de tirar del hilo final. Tendrá
dos bucles en el ganchillo.

2 Pase el hilo anterior por detrás
de la pieza y el nuevo hilo a través
para completar el punto. Continúe
trabajando con el nuevo hilo.

tejer extremos

Trabaje los extremos de la cola del
hilo en el revés de la pieza con una
aguja roma para tapizar. Lleve el hilo
a través de 5 cm de puntos, como
mínimo, y después teja en la
dirección opuesta a lo largo de 2,5 cm
para evitar que el final quede suelto.
Asegúrese de tejer a través de los
bucles de los puntos, no en el hilo.

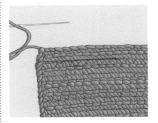

abreviaturas

cd: cadena
pd: punto doble
pma: punto medio alto
p: punto
ps: puntos
pd2j: punto doble 2 juntos
s: saltar
c: continuar
rep: repetir
v: vuelta

fieltro con aguja

Para trabajar con fieltro se necesita al menos una aguja, fibra de lana y un soporte de espuma. Existen soportes que sostienen hasta seis agujas a la vez, lo que permite trabajar superficies de gran tamaño. Las agujas múltiples facilitan la labor. A mí me gusta utilizar dos o tres agujas a la vez para obtener la forma general y una sola aguja para crear los detalles.

Para el trabajo con fieltro y aguja se necesita una aguja especial para «esculpir» la lana según la forma deseada. La aguja cuenta con unas púas diminutas en la punta con las que se entrelazan las fibras de la lana, de manera que se forma una masa que se torna más dura a medida que se trabaja. Para ello, se introduce la aguja dentro de la lana en la zona que se desea desplazar hacia dentro para dar forma a la pieza. Tenga cuidado con los dedos, ya que la aguja está muy afilada y puede lastimarse si se pincha (cosa que ocurre a la mayoría de las personas la primera vez que practican este método).

Coloque siempre un cojín de espuma debajo de la manualidad para proteger la superficie de trabajo y la aguja, que es muy frágil. Cuando trabaje fieltro con aguja, intente no girar la aguja en una dirección distinta a la mano, ya que así es muy fácil que se rompa la punta. Introduzca la aguja en la lana y no la gire. Recuerde que, por el contrario, debe ir girando la lana para trabajarla. Es posible que la lana se enganche al cojín si no la levanta y la gira.

Es importante que la lana esté apretada para empezar. Cuanto más lo esté, menos trabajo tendrá que hacer porque lo que buscamos, en definitiva, es una pieza más sólida. Verá que quedan agujeros donde trabaja la lana; puede pasarles una uña por encima o hacer rodar la pieza entre las manos como técnica de acabado.

costura

puntada recta

Es la más habitual en costura. Todas las máquinas de coser realizan la puntada recta. También puede hacerla a mano. En este libro hago referencia a las puntadas rectas cosidas a mano como pespunte de bordado. También puede usarlas con un punto corrido.

punto corrido

Se trata de una puntada manual que se puede coser en línea recta o siguiendo una curva. Enhebre la aguja e introdúzcala en la tela desde atrás hacia delante, pero no saque todo el hilo hasta el final. Pase la aguja desde delante hacia atrás de la tela dando puntadas cortas y regulares hasta que no le quede espacio en la aguja. Termine con la aguja en la parte delantera y tire del hilo. Repita el punto corrido la longitud que sea necesaria. Las puntadas parecerán líneas de puntos.

pespunte bordado

Es una puntada sencilla que me gusta para coser puntadas rectas a mano o para bordar detalles lineales, como las bocas de las figuras. Enhebre la aguja con hilo de bordar e introdúzcala en la tela desde atrás hacia delante. No saque el hilo hasta el final. Pase la aguja desde delante hacia atrás de la tela en puntadas cortas y regulares. Tire del hilo e introduzca la aguja en el segundo agujero, de delante hacia atrás, para crear un pespunte. A continuación, pase la aguja de atrás hacia delante a la misma distancia que la puntada que acaba de hacer y tire del hilo. Introduzca la aguja por detrás a través del agujero donde acaba la última puntada y repita el pespunte hasta obtener la longitud deseada. El derecho parecerá una línea continua, como si estuviese cosida a máquina, pero el revés presentará puntadas más largas que se superponen.

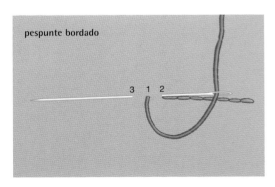

pespunte bordado

3 1 2

punto de festón

Este punto es uno de mis favoritos. Me gusta
utilizarlo para unir piezas y para crear bordes de
aspecto acabado en proyectos de fieltro. Enhebre
la aguja y anude un extremo del hilo. Introdúzcala
a unos 0,5 cm por debajo del orillo de la tela
(o a la altura deseada) desde atrás hacia delante.
Pase la aguja de atrás hacia delante una vez
más a través del mismo agujero que ha creado
para comenzar la puntada. Tire de la aguja de
izquierda a derecha a través de la parte superior
de la primera puntada e introduzca la aguja a
unos 0,5 cm a la izquierda de la misma y a 0,5 cm
por debajo del orillo de la tela de delante hacia
atrás. Gire el hilo en el sentido de las agujas
del reloj alrededor de la aguja antes de tirar.
Habrá completado un punto de festón. Continúe
cosiendo el resto de los puntos como se indica,
manteniéndolos lo más regulares posible.
Anude el hilo en el revés para asegurarlo.

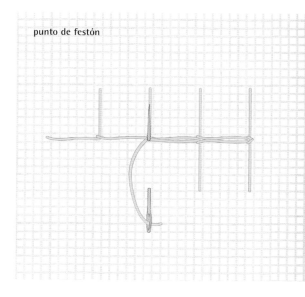

punto de festón

pespunte a máquina

«Pespuntear» es un método que también se utiliza cuando se cose a máquina. Sirve para sujetar las puntadas al principio
y al final de la costura. Empiece a hacer unas puntadas antes del lugar en el que quiere comenzar y realice unas cuantas
por el revés; a continuación, cosa hacia delante. Cuando llegue al final, vuelva a coser algunas puntadas del revés siguiendo
la línea de la costura para asegurarla.

pespunte y borde

Estos dos puntos son muy similares. Se trata de puntadas rectas que siguen un borde; la diferencia radica en la distancia
a la que se cosen con respecto al borde de la pieza. Los puntos de borde están mucho más cerca de este, mientras que los
pespuntes se sitúan a 0,5 cm o más. En ambos casos, son puntadas visibles en la parte delantera del tejido.

puntada hilvanada

Las puntadas hilvanadas son puntadas rectas, largas y sueltas. No quedan fijas, por lo que resulta fácil retirarlas. Sirven para sujetar dos piezas de tela antes de coserlas, lo que evita el uso de alfileres, o bien para unir tejidos (como en el proyecto de la bailarina). Cuando las instrucciones indican que hay que hilvanar piezas, normalmente hacen referencia a tejidos gruesos o fieltros, que tienden a arrugarse si se utilizan alfileres.

puntada invisible

Muchos patrones de costura de este libro requieren que se hagan puntadas invisibles a mano para cerrar las piezas. Para ello, se gira el borde hacia el revés de la tela y se pasa la aguja adelante y atrás desde un borde de la tela hasta el otro con puntadas regulares. Cuando se tira del hilo y de la tela a la vez, no se ven las puntadas.

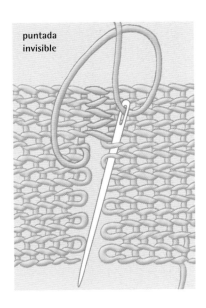

puntada
invisible

costura invisible (para coser piezas de punto)

Con los lados de delante de las dos piezas hacia usted, asegure el hilo en la parte inferior de una pieza. Pase la aguja a la otra sección y recoja una puntada (como se indica en la imagen). Tire del hilo de manera que quede bien tensado. Introduzca la aguja a través de una puntada de la primera sección, en el punto por donde ha salido el hilo. Continúe de este modo, de un lado al otro, como si estuviese atando un corsé, hasta llegar a la última puntada. Asegúrela bien. Si empieza por la sección derecha, como en la imagen, la costura no se distinguirá del resto del tejido.

dobladillo (cosido a máquina)

El dobladillo constituye una buena manera de terminar un borde. El tejido se dobla dos veces sobre sí mismo y se plancha para que el orillo no sea visible. Queda un borde limpio en el revés del tejido, de modo que se evita que se deshilache. Pespunte el lado derecho del tejido para asegurar el dobladillo.

cómo se interpretan los patrones

Es importante estudiar bien los patrones antes de empezar cualquier proyecto a fin de asegurarse de que entiende las instrucciones y las abreviaturas, así como de que dispone de todos los materiales necesarios. Si no está familiarizado con las abreviaturas de punto o de ganchillo, consulte la sección correspondiente.

Los patrones de costura incluyen suficiente espacio para el margen de costura cuando se aumentan al tamaño adecuado. Los márgenes de costura no se dibujan, pero puede utilizar los parámetros de su máquina de coser para obtener el tamaño correcto o bien medirlo y marcarlo en el tejido con tiza o con un rotulador. Algunos de los patrones de costura incorporan medidas, que siempre son para cortes rectos (cuadrados o rectángulos) o para círculos perfectos.

transferir patrones a tejidos

Existen varias maneras de transferir un patrón a un tejido. Emplee el método que le resulte más cómodo y que se adapte mejor a su tejido.

Corte el patrón en papel y sujételo con alfileres al tejido, que, a continuación, deberá cortar siguiendo el contorno del papel. El resultado de este método no siempre es completamente idéntico al patrón porque los alfileres pueden arrugar un poco el tejido.

Corte el patrón en papel y colóquelo sobre el tejido. Sujete el papel con unas pesas de sastrería y corte el tejido siguiendo el contorno del patrón. Obtendrá un corte más preciso que usando alfileres.

Pase el patrón a un papel de calcar, que deberá colocar con el lado negro sobre la tela. Utilice unas pesas de sastrería para inmovilizar el papel y una rueda de trazado para seguir el contorno del patrón y transferirlo al tejido. Retire las pesas y el papel y corte siguiendo la línea calcada.

Prácticamente todos los patrones de este libro deberán ampliarse. No obstante, he intentado que la mayoría de ellos no superen 20 × 28 cm para facilitar su impresión en casa. Para cortar piezas en fieltro y figuras mucho más pequeñas, me gusta recomendar el siguiente método: imprima el patrón en una cartulina y córtelo; a continuación, coloque el patrón sobre el tejido e inmovilícelo con pesas de sastrería. Emplee un rotulador para telas (o de cualquier tipo, ya que cortará por dentro de las líneas y no se verán en las piezas) y delinee los bordes de la cartulina de manera que las líneas queden marcadas en el tejido. Retire las pesas y la cartulina y corte siguiendo las líneas.

relleno

Puede emplear diferentes tipos de relleno para los juguetes: algodón, lana y poliéster, entre otros. Asimismo, el arroz y las judías se utilizan como relleno para añadir peso en la base de algunos de los proyectos de este libro, o bien como único relleno.

Para el aspecto y el tacto de las piezas, es importante tener en cuenta la cantidad de relleno que se introduce y cómo se hace. Si utiliza fibras, tome un poco de estas y métalas con cuidado dentro de la pieza. Debe evitar que queden bultos; para ello, añada el relleno poco a poco, de modo que las fibras se mezclen bien y queden esponjosas por dentro. La mayoría de los rellenos incluyen un palito de madera que permite llegar a los rincones más difíciles; utilícelo con cuidado para empujar el material si lo considera necesario. No se exceda con el relleno. Sabrá cuándo es suficiente si este sale a través de los puntos o el ganchillo. Los juguetes de punto son los más flexibles; tenga especial cuidado cuando introduzca el material. Una vez que lo haya rellenado, «masajee» el juguete para deshacer los posibles bultos y darle la forma correcta antes de cerrarlo.

rango de edades y seguridad

Los juguetes de este libro son aptos para todas las edades, aunque no se recomienda que los utilicen los niños menores de tres años sin la supervisión de un adulto. El primer capítulo se centra en juguetes para los más pequeños, pero muchos de los animales, formas de comidas, muñecas y objetos cotidianos son apropiados para niños de hasta seis años. Algunos de los objetos cotidianos, juguetes de fantasía y piezas de juegos y deportes son adecuados para niños de seis a doce años, aunque también los adolescentes y los adultos se divertirán con ellos.

Aplique el sentido común a la hora de seleccionar el juguete que va a crear, ya sea desde el punto de vista de la seguridad o para acertar con los gustos del niño al que va dirigido. Cada niño es distinto. Sustituya los ojos de plástico por unos bordados para evitar riesgos si hace alguno de los animales o figuras para un bebé o un niño menor de tres años. Y, por supuesto, las piezas más pequeñas no son adecuadas para estos últimos.

consejos para ahorrar tiempo

Mantenga organizados las herramientas, los tejidos, los hilos y
todos los accesorios. Ello le ayudará a ver rápidamente qué necesita
y le permitirá centrarse en su creación en lugar de tener que buscar
una pieza determinada. Le sugiero que ordene los materiales por
colores y tipos (pesos de hilos, materiales de los tejidos, etcétera).
Aquí tiene algunos consejos para tenerlo todo bien arreglado:

1. Ordene los hilos por pesos y después por colores. Le resultará
más fácil verlos y combinar diferentes tipos del mismo peso para
un proyecto.

2. Ate los tejidos de colores similares en pequeños fardos para mantener
ordenados los retales.

3. Enrolle las cintas y los hilos en soportes de cartón de bordado
para evitar que se enreden.

cómo guardar los juguetes

Existen varias soluciones para guardar los juguetes. En función
del número de piezas y del espacio de que disponga, puede meterlos
en cajas de plástico transparente o en cestas. Los cajones o baúles son
ideales para guardar varios juguetes en un mismo lugar. En cambio,
las piezas favoritas pueden exhibirse en estanterías; de ese modo,
siempre estarán a mano. Si distribuye bloques de cedro o saquitos
de lavanda entre los juguetes de hilo o tela, evitará las polillas,
al tiempo que añadirá un aroma agradable a las piezas.

primeros juguetes

Estos juguetes les encantarán a los más pequeños.

Son sencillos y coloridos; están hechos con bloques

y cascabeles, y resultan muy suaves al tocarlos.

bloque de punto

véanse variaciones en la página 55

materiales

- hilo: Brown Sheep Lamb's Pride Worsted (85 % lana, 15 % mohair, 100 g, 175 m), 1 ovillo de cada uno de los siguientes colores: Limeade, Lotus Pink, Autumn Harvest, Aztec Turquoise, Charcoal Heather, Regal Purple
- agujas de punto de 5 mm
- aguja auxiliar
- aguja de tapicería

tensión: 4,5 ps en 6 filas = 2,5 cm
dimensiones finales: cubo de 6 cm con el relleno

instrucciones

Este bloque de punto se realiza con seis puntos distintos y un color diferente para cada lado; de este modo se consiguen diversas texturas y colores que estimularán más a los más pequeños.

punto semilla (Limeade)

M 10 ps.
F1: *tpd1, pr1* rep hasta el final.
F2: *pr1, tpd1* rep hasta el final.
Continúe trabajando las dos filas hasta que la pieza mida 5,5 cm de longitud. R y acabar los extremos.

minipunto cesta (Charcoal Heather)

M 10 ps.
F1: *tpd2, pr2* rep una vez más, tpd2.
F2: *pr2, tpd2* rep una vez más, pr2.
Continúe trabajando las dos filas hasta que la pieza mida 5,5 cm de ancho. R y acabar los extremos.

punto cesta más grande (Autumn Harvest)

M 10 ps.
F1: tpd5, pr5.
F2-6: rep F1.
F7: pr5, tpd5.
F8-12: rep F7.
R y acabar los extremos.

punto elástico (Regal Purple)

M 10 ps.
F1: *tpd1, pr1* rep hasta el final.
Rep F1 hasta que la pieza mida 5,5 cm de ancho. El punto elástico es flexible; estire la pieza hasta 5 cm cuando mida la altura. R y acabar los extremos.

punto cable (Aztec Turquoise)

M 14 ps (más ancho que el resto de cuadrados; el punto cable reduce la anchura).
F1: pr4, tpd6, pr4.
F2-4: tejer los pd y pr.
F5: pr4, pasar los 3 ps siguientes a una aguja auxiliar y suspender por detrás, tpd3, tpd3 con la aguja auxiliar, pr4.
F6-9: tejer los pd y pr.
F10: rep F5.
F11-13: tejer los pd y pr. R y acabar los extremos.

punto duplicado para la letra (base Lotus Pink, Limeade)

M 10 ps.
Tpd 12 filas.
R y acabar los extremos.
Utilice un hilo que contraste para las letras en punto duplicado.

Bloquee los cuadrados de manera que queden iguales. Corte alrededor de 1 m de hilo y, con los bordes hacia fuera, cósalos con punto corrido. Antes de cerrar el último borde, rellene el dado.

marioneta-vaca de fieltro

véanse variaciones en la página 56

materiales

- fieltro de lana en colores blanco, rosa, amarillo y negro
- hilo para bordar en colores negro, blanco y rosa
- cartulina
- rotulador para tejidos
- alfileres de costura
- tiza de sastre
- aguja para bordar
- cola para tejido

dimensiones finales: 5 cm de anchura; 6,5 cm de altura

instrucciones

Dibuje el patrón en la cartulina y corte cada una de las piezas. Calque el patrón sobre cartulina y corte las piezas. Coloque los patrones de cartulina sobre el fieltro, señálelos con un rotulador para tejidos y corte las piezas de manera que queden de los siguientes colores: dos cuerpos (blanco), una nariz (rosa), una tripa (rosa), un cencerro (amarillo) y dos ojos (negros). Corte también varias manchas que no sean simétricas y decore la vaca como prefiera. En la marioneta de la imagen se utilizaron seis manchas.

Realice dos puntadas en negro para cada ojo y dos más para las fosas nasales en la pieza de la nariz. Pegue la nariz, la tripa, el cencerro y las manchas al cuerpo. Espere a que la cola se seque y borde la cadena que sujeta el cencerro. Con hilo de bordar blanco, cosa con punto de festón las dos piezas del cuerpo; empiece en la esquina inferior derecha y termine en la superior izquierda.

Con hilo de bordar rosa, cosa con punto de festón alrededor del fieltro rosa de la nariz y la tripa.

Debe aumentarse un 200 % para conseguir el tamaño real.

cuerpo (2)

nariz

cencerro

tripa

Debe aumentarse un 250 %
para conseguir el tamaño real.

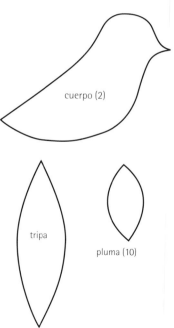

cuerpo (2)

tripa

pluma (10)

móvil de pájaros de tela

véanse variaciones en la página 57

materiales

- tela ligera de algodón en varios tonos de rosa, de 25 cm cada color
- papel de calcar
- alfileres de costura
- tiza de sastre
- hilo de coser a juego con la tela
- aguja de coser
- relleno
- hilo de bordar de color negro
- 2 barras de 30 cm y 23 cm
- hilo de color tostado
- cola
- cuerda para colgar
- cáncamo

dimensiones finales:
14 cm de longitud (incluida la cola); 3 cm de anchura

instrucciones

Calque el patrón del pájaro sobre la tela. Corte dos piezas para el cuerpo, una para la tripa y diez plumas (tres por cada ala y cuatro para la cola). Con hilo negro de bordar doble y aguja, realice unas puntadas para los ojos en el derecho de ambas piezas del cuerpo.

Sujete con alfileres una de las piezas del cuerpo y la pieza de la tripa con las partes derechas juntas; cósalas con puntadas rectas empezando por el extremo de la cola. Cuando llegue al otro extremo de la tripa, sujete con alfileres la segunda pieza del cuerpo de manera que coincida con la primera. Continúe cosiendo y deje una abertura de 2,5 cm en el extremo. Dé la vuelta a la pieza y utilice un girador de puntos para sacar el pico y la cola. Rellene la figura.

Cierre el pájaro con puntadas invisibles. Cuando termine el cuerpo, disponga tres plumas para cada ala y cuatro para la cola de manera que queden en abanico. Cósalas con unas cuantas puntadas.

Confeccione tres pájaros más en diferentes colores. Enrolle hilo de color tostado alrededor de cada barra y asegúrelo con cola. Ate unos 15 cm de cuerda a la parte superior del cuerpo de cada pájaro y 5 cm desde los extremos de las barras. Asegure los nudos con una gota de cola. Conecte las barras con hilo en el centro; la barra de 30 cm quedará arriba y separada de la inferior en 7,5 cm, aproximadamente. Cuelgue el móvil de un cáncamo colocado en el techo.

maracas de ganchillo

véanse variaciones en la página 58

materiales

- hilo: Brown Sheep Nature Spun Worsted (100 % lana, 100 g, 224 m), 1 ovillo de (A) Peruvian Pink, (B) Lemon Grass, (C) Natural
- ganchillo de 4 mm
- relleno
- cascabel para el relleno (uno por maraca)
- aguja de tapicería

tensión: 5 ps en 6 filas = 2,5 cm
dimensiones finales: 11,5 cm de altura; 4 cm de anchura

instrucciones

Con B, realice 6 pd en un anillo mágico, pasar 1 p sin tejer en el primer pd para unir.
[Cd 1, pd en los 6 ps siguientes, 1 p sin tejer] a lo largo de 6 cm y rellenar a medida que teje. Romper el hilo y cambiar a A.

V1: cd 1, [pd en el siguiente p, 2 pd en el siguiente p] alrededor, 1 p sin tejer en el primer pd para unir – 9 pd.

V2: cd 1, [pd en los 2 ps siguientes, 2 pd en el siguiente p] alrededor, 1 p sin tejer en el primer pd para unir – 12 pd.

V3: cd 1, [pd en los 3 ps siguientes, 2 pd en el siguiente p] alrededor, 1 p sin tejer en el primer pd para unir – 15 pd.

V4: cd 1, [pd en los 4 ps siguientes, 2 pd en el siguiente p] alrededor, 1 p sin tejer en el primer pd para unir. Atar A, unir C – 18 pd.

V5: cd 1, [pd en los 5 ps siguientes, 2 pd en el siguiente p] alrededor, 1 p sin tejer en el primer pd para unir – 21 pd.

V6: cd 1, [pd en los 6 ps siguientes, 2 pd en el siguiente p] alrededor, 1 p sin tejer en el primer pd para unir – 24 pd.

V7: cd 1, pd en los 24 ps siguientes, 1 p sin tejer en el primer pd para unir.

V8: pc 1, pd en los siguientes 24 ps, 1 p sin tejer en el primer pd para unir. Atar C, unir A.

V9: cd 1, [pd en los 6 ps siguientes, pd2j] alrededor, 1 p sin tejer en el primer pd para unir – 21 pc.

V10: cd 1, [pd en los 5 ps siguientes, pd2j] alrededor, 1 p sin tejer en el primer pd para unir – 18 pc. Empiece a rellenar la maraca e introduzca el cascabel; termine el relleno.

V11: cd 1, [pd en el p siguiente, pd2j] alrededor, 1 p sin tejer en el primer pd para unir – 12 pc.

V12: cd 1, [pd2j] alrededor, 1 p sin tejer en el primer pd para unir – 6 pc.
Atar y tejer los extremos.
Confeccione la otra maraca.

triángulo de ganchillo

véanse variaciones en la página 59

materiales

- hilo: Brown Sheep Cotton Fleece (80 % algodón, 20 % lana merino, 100 g, 196 m), 1 ovillo de (A) Wild Orange, (B) Robin Egg Blue, (C) Celery Leaves
- ganchillo de 3,75 mm
- aguja de tapicería
- relleno

tensión: 5 ps en 6 filas = 2,5 cm
dimensiones finales: 5 cm de anchura; 6,5 cm de altura

instrucciones

Con A, cd 15.
F1: pd en la 2.º cd desde el ganchillo, pd en cada p, girar – 14 ps.
F2: cd 1, pd2j, pd en cada pd hasta las 2 últimas cd, pd2j, atar A, unir B, girar – 12 ps.
F3: cd 1, pd en cada p, girar – 12 ps.
F4: pc 1, pd2j, pd en los 8 pd siguientes, pd2j, atar B, unir C, girar – 10 ps.
F5: pc 1, pd en cada p, girar – 10 ps.
F6: cd 1, pd2j, pd en los 6 pd siguientes, pd2j, atar C, unir A, girar – 8 ps.
F7: cd 1, pd en cada p, girar – 8 ps.
F8: pc 1, pd2j, pd en los 4 pd siguientes, pd2j, atar A, unir B, girar – 6 ps.
F9: cd 1, pd en cada p, girar – 6 ps.
F10: cd 1, pd2j, pd en los 2 pd siguientes, pd2j, atar B, unir C, girar – 4 ps.
F11: cd 1, pd en cada p, girar – 4 ps.
F12: pc 1, pd2j, dos veces, girar – 2 ps.
F13: cd 1, pd en cada p, girar – 2 ps.
F14: cd 1, pd2j – 1 p.

Atar y tejer los extremos.

Repetir F1-14 para confeccionar otro triángulo.

Con C, cd 5.
Cd 1, pd en cada fila hasta que la pieza mida 21,5 cm.

Alinee las piezas y sujételas con alfileres. Con B, junte las costuras de ganchillo realizando una lazada corrediza y empezando en el extremo inferior derecho del triángulo. Pd siguiendo la cadena de giro y realizar 2 pd en cada cadena para evitar que la costura se arrugue. Repita para el triángulo posterior y rellene cuando queden 4 cm. Termine el relleno y la costura. Cosa con punto colchonero el borde de la tira C para cerrar la costura.

gatito-marioneta de mano véanse variaciones en la página 60

materiales

- hilo: Brown Sheep Nature Spun Worsted (100 % lana, 100 g, 224 m), 1 ovillo de Natural
- agujas de doble punta (adp) de 4,5 mm
- hilo negro de bordar
- aguja de tapicería
- fieltro negro y rosa para los ojos y la nariz
- aguja de coser
- hilo de coser negro y rosa
- papel de calcar
- alfileres de costura
- tiza de sastre
- tela de algodón de color rosa claro, 25 cm

tensión: 5 ps en 7 filas = 2,5 cm
dimensiones finales: 9 cm de anchura; 18 cm de altura (tamaño medio para niños de 5-10 años)

instrucciones

M 26 ps. Dividir de manera uniforme entre 3 adp y unir para trabajar en redondo con cuidado de no retorcer los ps.

V1: *tpd1, pr1* rep hasta el final.
V2: *pr1, tpd1* rep hasta el final.
V3: *tpd1, pr1* rep hasta el final.
V4-24: tpd.

Empiece la boca y trabaje en plano a partir de aquí.

parte superior de la boca

Tejer 16 ps y situar los 10 ps restantes en una adp para la parte inferior de la boca.
F1-9: trabajar en pj.
F10: tpd1; d, d, jpd; tpd hasta los 3 últimos ps, 2pdj, tpd1. 2 ps en disminución.
F11: pr.
F12-17: rep F10 y 11.
R los 7 ps restantes y tejer los extremos.

parte inferior de la boca

Ate el hilo (LD) y trabaje 6 F en pj.
F7 (LD): tpd1; d, d, jpd; tpd hasta los 3 últimos ps, 2pdj, tpd1.

F8: pr.
F9-10: rep F6 y 7.
R el resto de ps y tejer los extremos.

orejas

A 5 cm de la base de la parte superior de la boca y en el extremo izquierdo, levante 3 ps con la adp. Ate el hilo en el extremo derecho de los ps que acaba de levantar y tpd 3. Tpd las 2 filas siguientes, y 3pdj. Rompa el hilo y teja los extremos. Repita para la oreja derecha.

cara

Corte tres hebras de hilo negro de bordar de 5 cm de largo para los bigotes y cósalas en la punta de la nariz. Corte los ojos con forma de almendra y un triángulo redondeado rosa para la nariz (en ambos casos, de fieltro). Cósalos.

interior de la boca

Calque y corte el patrón de la boca. Sujételo con alfileres a la tela rosa, dibuje el contorno con tiza de sastre y corte la tela.

**Debe aumentarse un 400 %
para conseguir el tamaño real.**

boca

Dele la vuelta a la marioneta tejida
y sujete la tela en su lugar con
alfileres, con el extremo más ancho
en la parte superior de la boca
y el revés hacia usted. Cosa con
punto de festón y gire de nuevo
la marioneta del derecho.

sonajero redondo de punto

véanse variaciones en la página 61

materiales

- hilo: Brown Sheep Shepherd's Shades (100% lana, 100 g, 120 m), 1 ovillo de (A) Pearl, (B) Wintergreen
- agujas de punto rectas de 6 mm
- relleno
- cascabel
- aguja de tapicería

tensión: 4,5 ps en 6 filas = 2,5 cm
dimensiones finales: 10,5 cm de diámetro

instrucciones

Con A, M 24 ps.

F1 y todas las filas impares: pr.

F2: tpd1, *1adr, tpd2*, rep hasta el último p, 1adr, tpd1 – 36 ps.

F4: tpd1, *1adr, tpd3*, rep hasta los 2 últimos ps, 1adr, tpd2 – 48 ps.

F6: cambiar a B y tpd.

F8: cambiar a A y tpd.

F10: rep F6.

F12: rep F8.

F14: *tpd2, 2pdj* rep hasta el final – 36 ps.

F16: *tpd1, 2pdj* rep hasta el final – 24 ps.

F18: R dejando una cola para coser.

Doble por la mitad a lo largo y cosa los extremos para formar un aro. Vaya rellenándolo a medida que cose. Introduzca el cascabel a mitad de costura y cierre. Teja los extremos.

pelota de fieltro con aguja

véanse variaciones en la página 62

instrucciones

pelota

Tome suficientes fibras para obtener una bola de 10-11,5 cm. Empiece en un extremo y vaya metiendo los lados a medida que avanza para conseguir una esfera densa. Recuerde que encogerá un poco mientras trabaja la fibra.

Coloque la bola sobre al almohadilla de espuma y sujete los extremos con los dedos. Tome la aguja con la otra mano y pinche los extremos para unirlos. Tenga cuidado con los dedos; manténgalos alejados de la aguja.

Trabaje toda la pieza hasta que considere que está firme y con forma. Pinche las zonas que sobresalen para conseguir una esfera perfecta.

abejorro

Añadir color a una pieza de fieltro con aguja resulta muy sencillo. Empiece con un poco de fibra amarilla para el cuerpo del abejorro; forme una pequeña bola plana entre los dedos. Colóquela sobre la bola naranja con un dedo y pase la aguja a través de la fibra amarilla para mezclarla con la naranja. Continúe trabajando la fibra hasta que la bola amarilla quede sujeta. Puede utilizar la punta de la aguja para remeter los bordes.

Tome un poco de fibra negra para las rayas del abejorro. Retuérzala un poco con el fin de apretarla, lo que le ayudará a conseguir unas nítidas líneas rectas. Colóquela sobre el fieltro amarillo. Realice dos líneas más y corte el exceso de los extremos.

Siga el mismo método con la fibra blanca para crear la cabeza, las antenas y las alas.

materiales

- fibras de lana en colores naranja, amarillo, negro y blanco
- almohadilla de espuma para trabajar fieltro con aguja
- aguja para fieltro de tamaño 38 o 36

dimensiones finales: 9 cm de diámetro

materiales

- hilo: Brown Sheep Lamb's Pride Worsted (85% lana, 15% mohair, 100 g, 175 m), 1 ovillo de Aztec Turquoise; Brown Sheep Nature Spun Worsted (100% lana, 100 g, 224 m), 1 ovillo de Natural; Caron Country Yarn (75% acrílico microdenier, 25% lana merino, 75 g, 170 m), 1 ovillo de Ocean Spray
- ganchillo de 4 mm
- relleno
- aguja de tapicería
- cartulina
- fieltro blanco y azul para las hélices
- hilo de algodón para colgar
- aro interior de un bastidor de bordar de 15 cm
- cola
- cáncamo

tensión: 4,5 ps en 5 filas = 2,5 cm
dimensiones finales: 9 cm de longitud; 6 cm de anchura

móvil de aviones

véanse variaciones en la página 63

instrucciones

cuerpo del avión

Monte 6 pb en un anillo mágico, 1pst para unir.

V1: pc 1, [pd en el siguiente p, 2 pd en el siguiente p] 3 veces, 1pst en el primer pd para unir – 9 pd.

V2: pc 1, pd en cada p, 1pst – 9 pd.

V3: pc 1, [pd en los 2 ps siguientes, 2 pd en el siguiente p] 3 veces, 1pst en el primer pd para unir – 12 pd.

V4: pc 1, [pd en los 3 ps siguientes, 2 pd en el siguiente p] 3 veces, 1pst en el primer pd para unir – 15 pd.

V5: pc 1, pd en los 15 ps siguientes, 1pst en el primer pd para unir – 15 pd.

V6: pc 1, pd en cada p, 1pst -15 pc.

V7: pc 1, [pd en los 5 ps siguientes, 2 pd en el siguiente p] 3 veces, 1pst en el primer pd para unir – 21 pd.

V8-14: pc 1, pd en cada p, 1pst en el primer pd para unir – 21 pd.

V15: pc 1, [pd en los 5 ps siguientes, pd2j] 3 veces, 1pst en el primer pd para unir – 18 pd.

Empiece a rellenar y continúe con el relleno a medida que avanza.

V16: pc 1, [pd en el siguiente p, pd2j] 6 veces, 1pst en el primer pd para unir – 12 pd.

V17: pc 1, [pd2j] 6 veces, 1pst en el primer pd para unir – 6 pd.

Atar y tejer los extremos.

alas

Cd 6, girar.

F1: pd 2.º cd desde el ganchillo, pd en los 5 ps siguientes, cd1, girar.

F2: pd 2.º desde el ganchillo, pd en los 4 ps siguientes, 2 pd en los 2 ps siguientes, pd en los 4 ps siguientes, pc 1, girar -12 pb.

F3: pd 2.º desde el ganchillo, pd en los 5 ps siguientes, 2 pd en los 2 ps siguientes, pd en los 5 ps siguientes -14 pb.

Atar y tejer la otra ala. Con una aguja de tapicería, coser las alas en su lugar y tejer los extremos.

colas

Cd 5, girar.

Pd 2.º desde el ganchillo, pd en los 3 ps siguientes.

Atar y tejer dos colas más. Con una aguja de tapicería, coserlas en la parte trasera de cada avión y tejer los extremos.

hélices

Trace y corte las hélices de fieltro azul y blanco, y cóthalas en la parte delantera de los aviones. Corte hilo de algodón para colgar los aviones (30, 23 y 15 cm desde el aro de bordar). Asegure los nudos con una gota de cola.

Corte cuatro hebras más de hilo de 20 cm y átelas al aro de bordar espaciándolas de manera uniforme. Asegúrelas con una gota de cola.

Ate las cuatro cuerdas en la parte superior. Corte una tira más de cuerda a la altura deseada y átela al nudo. Asegúrela en el techo con un cáncamo.

Debe aumentarse un 250 % para conseguir el tamaño real.

hélice (1 por avión)

oso sonajero de tela

véanse variaciones en la página 64

materiales

- tela: Kokka Large Gingham
  (100 % algodón), 25 cm de
  beis; Kokka Small Gingham
  (100 % algodón), 25 cm
  de marrón
- papel de calcar
- alfileres de costura
- tiza de sastre
- cartulina
- aguja de coser
- hilo de coser
- fieltro marrón
- hilo de bordar negro
- relleno
- cascabel

dimensiones finales: 10 cm
de anchura; 10 cm de altura

instrucciones

Calque el patrón de la cabeza de oso en la tela: (2) cabezas y (4) orejas en la
tela de cuadros marrones, y (1) hocico en la beis. Corte las piezas. Corte un
segundo hocico de cartulina de manera que encaje dentro de la tela marrón
(deje aproximadamente 0,25 cm de tela visible en toda la pieza).

Para meter los bordes del hocico, realice una puntada hilvanada a 0,25 cm
del borde alrededor de todo el hocico. Centre la cartulina para el hocico en el
revés de la tela y tense bien el hilo para sujetarla. De ese modo conseguirá
un borde suave en el contorno del óvalo. Planche y retire la cartulina. Sujete
con alfileres el hocico a la cara justo por debajo del centro y pespunte en su
lugar con el derecho de la tela hacia usted.

Corte dos pequeños óvalos para los ojos y un triángulo de bordes redondeados
para la nariz. Cosa estos tres elementos en el rostro y trace una sonrisa con hilo.

Sujete las orejas con alfileres, con los lados derechos juntos, y cósalas con un
margen de costura de 0,5 cm. Deje una abertura en el lado recto. Doble hacia
dentro y rellénelas un poco.

Sujete las orejas terminadas con alfileres entre las dos capas de la cara con las
partes derechas juntas, de manera que queden algo inclinadas hacia el centro.
Cosa a mano o a máquina esas piezas dejando una abertura de 5 cm en la parte
inferior de la cabeza, y dele la vuelta. Rellene la mitad de la pieza e introduzca
el cascabel. Continúe rellenando hasta que la cabeza quede bonita y mullida.
Cierre la pieza con puntadas invisibles.

Los patrones deben aumentarse un 340 % para que la cabeza mida 11,5 cm de diámetro.

cabeza (2)

hocico (1 tela, 1 cartulina)

oreja (4)

móvil de nubes de fieltro

véanse variaciones en la página 65

instrucciones

nubes

Tome una pieza de fibra y enróllela para que quede apretada y con forma ovalada; vaya metiendo los lados a medida que la trabaja. Siga las instrucciones de la página 48 para formar una bola de fieltro. Trabaje con la aguja las zonas que sobresalen hasta que el óvalo esté liso.

materiales

- fibra de lana blanca, aproximadamente 75 g
- aguja para fieltro de tamaño 38 o 36
- almohadilla de espuma para trabajar fieltro con aguja
- cuerda para colgar el móvil
- aguja de coser con ojo grande
- cáncamo

dimensiones finales: 50 cm de altura desde la nube inferior hasta la superior; 20 cm de nube más ancha

Cuando tenga lista la base, añada más hebras de lana para crear una nube. Repita el mismo método, pero utilice menos lana y realice óvalos más pequeños.

Para unir una nueva pieza al óvalo de base, sujete el óvalo más pequeño en el lugar deseado y pase la aguja para trabajar fieltro a través de ambas piezas para que las «púas» de la aguja lleguen hasta la pieza de base. Continúe trabajando las fibras hasta que el óvalo pequeño quede bien sujeto.

No se preocupe por la «costura» en las uniones entre las piezas. Puede ocultarla rodeándola con una fibra fina de lana trabajada con la aguja para fieltro.

Siga añadiendo bolas de lana hasta conseguir una forma de nube que le guste. Si observa imperfecciones, siempre puede cubrir las arrugas y las costuras agregando más lana.

Realice las nubes en tres tamaños distintos (aproximadamente, 10, 15 y 20 cm de anchura).

sujeción

Enhebre la aguja de coser con una cuerda y átela en la parte superior de la nube más larga pasándola a través de la lana. Asegúrese de que esta tenga la densidad suficiente para que la cuerda quede sujeta. Si no es así, trabaje el fieltro en la zona donde atará la cuerda para que tenga la resistencia necesaria. Puede ocultar el nudo y los extremos cubriéndolos con más lana y trabajándola con la aguja.

Deje 10 cm, aproximadamente, entre cada nube. Continúe atando la cuerda de la parte superior de la nube hasta la parte inferior de la siguiente nube y cubriendo los nudos. Cuelgue el móvil de un cáncamo en el techo.

variaciones

bloque de punto

véase el diseño básico de la página 35

libro de punto con texturas

Siga los diferentes patrones de punto para el bloque y realice cuadrados de 12,5 cm. Apílelos y cosa los cuadrados con texturas utilizando un pespunte a lo largo de un borde para formar un libro de texturas y colores.

letras y números en relieve

Teja en los bloques los números o las letras en relieve con punto musgo. Utilice papel milimetrado para trazar las letras y los números antes de empezar.

letras y números superpuestos

Trace letras en un cuadrado de 3 cm para utilizarlas a modo de patrón. Cálquelas en fieltro, recórtelas y sujételas con alfileres en los bloques tejidos. Utilice un punto de festón para superponerlas.

juego de memoria con bloques de telas de colores

Cree un conjunto de bloques de tela a modo de juego de memoria; para ello, corte cuadrados de 6 cm de diferentes colores (uno para cada bloque). Sujételos con alfileres y cosa todos los bordes. Rellénelos y cierre las piezas.

cajas apilables de ganchillo

Teja cinco cuadrados planos y cósalos con punto de festón por los extremos para formar la caja. Trabaje con ganchillo cada conjunto de cinco cuadrados, que debe ser 5 cm mayor que el conjunto anterior para poder encajar las piezas.

variaciones

marioneta–vaca de fieltro

véase el diseño básico de la página 36

marionetas de dedo de animales de granja

Utilice el patrón básico para crear un conjunto de marionetas de animales de granja. Aproveche las figuras del cuerpo y del hocico para crear un cerdo con lana rosa. Para hacer un pollito, elimine las orejas del patrón básico del cuerpo y emplee lana amarilla. Corte un triángulo de 0,5 cm de fieltro naranja para el pico.

peluchitos de animales

Rellene la marioneta, corte un círculo de 5 cm de diámetro y cóselo a la base para crear un animalito de fieltro que se sujete de pie.

marionetas de palo

Cree marionetas planas de fieltro y sujételas a palos finos.

escenario para un teatro de marionetas

Para crear un «escenario» de marionetas, corte una pieza de cartón cuadrada de 43 cm; la parte superior debe terminar en punta. A continuación, practique un corte en forma de rectángulo en el centro para la abertura, por la que aparecerán las marionetas. Pinte la superficie o pegue fieltro rojo y añada los detalles en color blanco.

vacas de fieltro para adornar lápices

Reduzca el patrón y córtelo por la mitad en horizontal para realizar adornos para lápices. Siga las instrucciones de costura para el patrón original de la página 36.

variaciones

móvil de pájaros de tela

véase el diseño básico de la página 39

pájaros-pelota
Rellene los pájaros con arroz para convertirlos en pelotas.

nido
Teja con ganchillo un nido siguiendo el patrón para hacer la cabeza y el cuerpo del pulpo de la página 87, pero deténgase cuando vaya por la mitad. Utilice un hilo más denso y un ganchillo más grande para tejer un nido de un tamaño suficiente para que quepan dos o tres pájaros.

pulsera con pájaro sonajero
Confeccione un pájaro e introduzca un cascabel en su interior. Para la pulsera, corte una tira de tela de 5 cm de anchura por 12 cm de longitud. Doble la tela por la mitad a lo largo y cósala. Dele la vuelta, doble los dos extremos y ciérrela con puntada vista. Cosa dos cuadrados de velcro en los extremos para cerrar la pulsera. Cosa a mano el pájaro en el centro de la pulsera.

móvil de pingüinos
Utilice el patrón básico del pájaro. Emplee tela negra para el cuerpo y blanca para la tripa. Corte una «pluma» para cada ala y las patas y el pico de fieltro amarillo. Cosa las piezas en su lugar con hilo del mismo color. Realice cuatro pingüinos y siga las instrucciones del móvil de pájaros para el montaje.

móvil de murciélagos
Con fieltro negro, corte dos óvalos de 6 × 4 cm para el cuerpo del murciélago y cuatro alas de 7,5 × 4 cm. Cosa los óvalos para unirlos y rellénelos un poco. Cosa las dos capas de alas y estas, a su vez, a cada lado del cuerpo. Corte pequeñas orejas triangulares de fieltro y cósalas a la cabeza.

variaciones

maracas de ganchillo

véase el diseño básico de la página 40

huevo maraca

Siga el patrón de las maracas, pero omita el mango verde. Realice 6 pd en un anillo mágico y empiece
en la v 1. Trabaje con un color sólido, introduzca un cascabel y... ¡mueva las maracas!

calabaza de cuello largo amarilla

Con hilo amarillo, siga el patrón para las maracas de ganchillo; cuando vaya por la mitad, introduzca un limpiapipas.
Continúe trabajando y rellenando la cabalaza hasta el final. Incline el cuello de la calabaza ligeramente hacia un lado.

flor

Siga el patrón de las maracas y utilice el hilo rosa para el bulbo. Corte ocho pétalos de fieltro rosa de 2,5 cm y cósalos
al bulbo de manera que queden superpuestos entre sí.

micrófono

Siga el patrón para las maracas. Comience con hilo negro y trabaje hasta que empiece el aumento. Cambie a hilo
gris y finalice el ganchillo. Corte una tira fina de fieltro blanco y cósala en el centro de la cabeza del micro.

bombilla

Trabaje el patrón de la maraca y [cd 1, pd en los 6 ps siguientes, 1 pst] a lo largo de 2,5 cm con hilo gris claro.
Cambie a hilo blanco para crear la forma de la bombilla propiamente dicha. Borde las líneas de los alambres
con hilo negro desde la base de la pieza de «cristal» hasta el centro.

triángulo de ganchillo

véase el diseño básico de la página 43

bloques apilables

Trabaje con ganchillo algunos bloques apilables triangulares y cuadrados para formar un conjunto.
Para el bloque cuadrado, cd 15, girar, y pd en la 2.º cd desde el ganchillo, pd en cada p, cd 1. Continuar
con pd en 14 ps en cada fila hasta tener 14 filas o hasta que el largo de la fila coincida con la cd de la base.

rueda de colores

Realice ocho bloques triangulares de tela en ocho colores distintos. Corte los triángulos con la anchura deseada,
más un margen de costura de 0,5 cm, en ángulos de 45 grados. Mida el total de los tres lados y añada 1,25 cm.
Corte una tira de tela de esa longitud y de la anchura deseada para crear el bloque. Sujete con alfileres el
triángulo y la tira lateral con los lados del revés juntos y cósalos; repita la operación para la parte posterior
del triángulo. Deje una abertura en el punto donde se encuentran los extremos de la tira lateral. Rellene la rueda
y cósala con puntada invisible.

caramelo triangular (imagen)

Trabaje con ganchillo unas tiras de hilo blanco, amarillo y naranja para crear un caramelo. Alterne los colores
cada cuatro filas. Siga el mismo patrón de rayas para la tira lateral y la parte trasera. Cosa las piezas con punto
de festón.

porción de tarta de cerezas

Siga el patrón para el bloque triangular (F1-14 dos veces) con hilo amarillo. Omita todas las instrucciones
de cambio de colores de hilos; obtendrá dos triángulos amarillos. Con hilo rojo, cd 5. Cd 1, pb en cada fila
hasta que la pieza mida 21,5 cm. A continuación, siga las instrucciones de montaje de la página 43.

tarta de cerezas

Si sigue el patrón anterior ocho veces, tendrá una tarta completa. Si lo desea, utilice un punto corrido
con un hilo vistoso para añadir «azúcar» por encima.

variaciones

gatito–marioneta de mano

véase el diseño básico de la página 44

perrito–marioneta de mano
Aproveche el patrón básico del gatito para crear un cachorro de perro con hilo amarillo. Aplique dos puntadas más para cada oreja y utilice punto de liga hasta que las orejas midan 5 cm de largo.

marioneta–esponja
Teja la marioneta con un hilo de algodón o de felpa y úsela como una divertida esponja para el baño.

mitones de gatitos
Confeccione dos marionetas de mano de gatitos y empléelas como mitones en invierno. Teja 15 cm de cadeneta y únala al extremo de cada mitón; ate el otro extremo a un sujetamitones para no perderlos.

manta–gatito
Teja la sección para la cabeza del gatito, rellénela y ciérrela con una costura. Corte un cuadrado de 1,2 m (o de mayor tamaño, dependiendo de la altura de la persona) de lana. Doble los bordes y cosa la cabeza en una de las esquinas.

marioneta de gato de la suerte
Convierta su marioneta en un gato de la suerte chino cosiendo un cuello de fieltro rojo y un cascabel dorado en el centro. Corte pequeños triángulos de fieltro rojo y péguelos con cola para tela en el interior de las orejas.

sonajero redondo de punto

véase el diseño básico de la página 47

llavero

Cree llaves de fieltro calcando una versión exagerada de unas llaves reales. Corte dos piezas de fieltro para cada llave y cósalas con punto de festón. Sujete las llaves a una pieza de hilo y pásela por el sonajero de punto.

sonajero-patito (imagen)

Teja un sonajero redondo en amarillo y siga las instrucciones para crear la cabeza de patito de punto (*véase* pág. 94). Añada una fila de aumento después de la fila 5 (tpd4, 1adr, repetir). Añada una fila extra de reducción después de la fila 7 (tpd3, 2pdj, repetir). Rellene la figura y cosa la cabeza sobre el sonajero de punto.

chaleco salvavidas

Utilice hilo rojo y blanco para tejer un minichaleco salvavidas. M con hilo blanco y añada rayas rojas a intervalos regulares en la primera fila tejida. Continúe con las rayas rojas y blancas hasta el final.

cadena

Teja tres aros en diferentes colores y tamaños usando hilos fingering y sportweight y las agujas correspondientes. Trabaje un aro completo y enlace el siguiente a través del orificio antes de cerrarlo. Repita el proceso con el siguiente aro para formar una cadena.

espejo de mano

Teja un asa y cósala al sonajero redondo para crear un espejo de mano. Con hilo y agujas del mismo peso, M 14 ps y trabaje en pj a lo largo de 10 cm. 2pdj en la última fila para confeccionar la parte inferior del asa. R, cosa el borde largo, rellene la figura y cosa el aro al asa.

variaciones

pelota de fieltro con aguja

véase el diseño básico de la página 48

oruga de fieltro con aguja

Prepare cinco bolitas de fieltro de 4 cm de diámetro y únalas con hilo. Trabaje la lana en los extremos del hilo para ocultarlos y forme los ojos y una boca sonriente en la primera esfera. Trabaje las piezas más cortas de hilo con una aguja fina en sentido horizontal a través del resto de las bolas, cerca de la base, para crear las patas. Átelas en los extremos para evitar que se salgan.

pelota de deporte de fieltro con aguja

Forme un balón de fútbol, de béisbol o de baloncesto siguiendo las instrucciones de la página 48. Añada color y cree las líneas en función del tipo de pelota que vaya a confeccionar.

minipiscina de bolas

Elabore suficientes bolas de fieltro para construir una «minipiscina de bolas» para los más pequeños. Utilice poliestireno a modo de base central, rodéela con fibra de lana y trabaje el fieltro a fin de que las bolas resulten más ligeras (use menos lana).

pelota-sonajero

Introduzca un cascabel en una pelota de pimpón. Para ello, practique un pequeño corte con un cúter y meta el cascabel. Envuelva la pelota con lana y trabájela con aguja.

móvil de planetas

Cree con ganchillo diversos «planetas» de diferentes colores y tamaños. Para confeccionar las esferas, siga las instrucciones indicadas para el pulpo de ganchillo de la página 87. Trabaje las esferas con distintos pesos de hilo y agujas de los tamaños adecuados y móntelas en el móvil siguiendo las instrucciones para el móvil de aviones de ganchillo (*véase* pág. 51).

variaciones

móvil de aviones

véase el diseño básico de la página 51

móvil con nubes

Trabaje con fieltro pequeñas nubes de lana en las cuerdas del móvil siguiendo el patrón del móvil de nubes de fieltro (*véase* pág. 54).

móvil de helicópteros

Trabaje con ganchillo un móvil de helicópteros utilizando como patrón básico el cuerpo de los aviones. Para las hélices del helicóptero, corte dos piezas de fieltro gris de 10 cm de longitud y 1,25 cm de anchura. Cósalas con hilo gris en la parte superior del cuerpo del avión. Ate los helicópteros siguiendo las instrucciones para el móvil de aviones de ganchillo de la página 51.

móvil espacial

Imprima imágenes de naves espaciales y planetas para utilizarlas como patrones que, a continuación, recortará en fieltro. Corte dos piezas de fieltro para cada elemento a fin de conseguir mayor rigidez. Emplee cola para tejidos para sujetar las alas y los demás detalles. Monte el móvil tal como se indica para el móvil de aviones de ganchillo de la página 51.

avión sonajero

Convierta un avión en un sonajero añadiendo un cascabel antes de cerrarlo. Teja con punto cadena una cuerda de 30 cm, añada un alfiler en un extremo y ate el avión en el otro. Sujete el sonajero con un imperdible en la camiseta del bebé o en el cochecito para evitar que salga «volando».

alas más grandes

Confeccione con ganchillo el doble de alas que para el móvil de aviones de ganchillo de la página 51 y cósalas por pares a fin de conseguir alas más voluminosas.

variaciones

oso sonajero de tela

véase el diseño básico de la página 52

sonajero de cabeza de perro

Siga el patrón básico del oso para confeccionar un sonajero con forma de cabeza de perro. Alargue las orejas unos 7,5 cm a fin de que queden caídas y añada una lengua de fieltro rosa de 7,5 cm que salga de un lado de la boca.

sonajero de cabeza de conejo

Utilice el patrón básico de la cabeza de oso para confeccionar un sonajero con forma de cabeza de conejo. Corte unas orejas de 12,5 cm que acaben en punta y cósalas siguiendo las instrucciones relativas a las orejas del oso. Añada unos bigotes de 9 cm a cada lado de la nariz.

sonajero de cabeza de rana (imagen)

Use tela verde para confeccionar una cabeza de rana. Corte dos círculos blancos de fieltro para los ojos y dos negros para los iris. Cosa los ojos en lo que serían las orejas del oso y dos pequeñas fosas nasales negras en el centro de la cara y una boca sonriente debajo.

sonajero de cabeza de mono

Emplee tela de color marrón oscuro y otra marrón claro para confeccionar una cabeza de mono. Corte unas orejas de 5 cm de altura y 4 cm de anchura y cósalas a ambos lados de la cabeza. Corte un óvalo de fieltro marrón claro que mida alrededor de 2,5 cm menos que el patrón de la cabeza. Borde los ojos, la nariz y la boca.

sonajero redondo con cabeza de oso

Redimensione el patrón al 50 % y siga las instrucciones para confeccionar el sonajero redondo de la página 47. Cosa la cabeza de oso donde se unen las costuras.

variaciones

móvil de nubes de fieltro

véase el diseño básico de la página 54

nubes con lluvia
Con un lazo, ate pequeños cascabeles a las nubes de fieltro a modo de «gotas de lluvia». Así tendrá un delicado móvil sonoro.

«nubes» de fieltro con formas de animales u objetos
Cuando observamos las nubes, en muchas ocasiones vemos «figuras» identificables. Pruebe a convertir fibra de lana blanca en un vehículo, un árbol, un conejo... Mantenga las formas sueltas y esponjosas, y déjese guiar por la imaginación.

sol y estrellas
Corte dos círculos amarillos de fieltro y cósalos para formar un sol. Repita el proceso con unas cuantas estrellas. Combínelos con las nubes en un aro de bordar siguiendo las instrucciones para el móvil de aviones de ganchillo (*véase* pág. 51).

guirnalda de nubes
Trabaje con aguja diez «mininubes» de fieltro (5 × 7,5 cm) y únalas para formar una guirnalda con la que decorar una habitación infantil.

pájaros en las nubes
Cosa algunos pájaros a partir del patrón para el móvil de pájaros de tela (*véase* pág. 39). Átelos y cuélguelos de las nubes.

animales y criaturas

Entre con los dinosaurios en la prehistoria o pasee
por el bosque acompañado por los animales que
lo habitan. Las criaturas de este capítulo lo animarán
a visitar otros mundos.

conejo de tela

véanse variaciones en la página 95

materiales

- ■ tela: Freespirit Fabrics Hope Valley, Fiesta Cactus Calico (100 % algodón), 25 cm; Robert Kaufman Kona Cotton (100 % algodón), 25 cm de Bone
- ■ papel de calcar
- ■ alfileres de costura
- ■ hilo de coser
- ■ aguja de coser
- ■ máquina de coser (opcional)
- ■ relleno
- ■ arroz o alubias
- ■ hilo de bordar negro
- ■ fibra de lana blanca
- ■ aguja para fieltro de tamaño 38

dimensiones finales: 12 cm de longitud; 4,5 cm de anchura; 4 cm de altura

instrucciones

Calque y corte dos piezas de Fiesta Cactus Calico para el cuerpo (gire el patrón para obtener los dos lados opuestos), una pieza para la cara y dos para las orejas. Corte la tripa y dos piezas para las orejas de Bone.

Sujete una oreja de Calico y una de Bone con alfileres, con los derechos juntos, y cósalas con un margen de costura de 0,5 cm. Dele la vuelta y repita el proceso con la segunda oreja.

Sujete con alfileres la tira de la cara a la pieza del cuerpo con los derechos juntos. Cosa con un margen de costura de 0,5 cm; repita el proceso para el otro lado.

Con los derechos juntos, sujete con alfileres la pieza de la tripa a la parte correspondiente del cuerpo. Empiece por debajo del cuello y continúe hasta la cola. Cosa con un margen de costura de 0,5 cm y deje una abertura de 6 cm a un lado de la tripa.

Dele la vuelta y borde los ojos negros, los bigotes y la nariz. Trabaje con aguja una pequeña bola de fieltro de 1,25 cm de diámetro, aproximadamente, para la cola. Empiece a rellenar y añada arroz o alubias para aportar peso justo antes de terminar el relleno. Cosa con puntada invisible para cerrar el muñeco.

Debe aumentarse un 550 % para conseguir el tamaño real.

tripa (2)

tira de la cara (2)

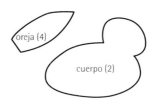

oreja (4)

cuerpo (2)

t-rex blandito

véanse variaciones en la página 96

materiales

- tela: Robert Kaufman Remix 2012 (100% algodón), 25 cm de Green Dotted Rows; Robert kaufman Kona Cotton (100% algodón), 25 cm de Buttercup
- papel de calcar
- tiza de sastre
- máquina de coser (opcional)
- hilo de coser
- relleno
- hilo de bordar negro

dimensiones finales: 18 cm de longitud; 11 cm de anchura; 16,5 cm de altura

instrucciones

Calque y corte dos cuerpos para el T-rex (los dos lados de las patas y un lado de cada «brazo») de tela Green Dotted Rows. Asegúrese de girar el patrón para el lado opuesto del cuerpo/pata/brazo. Corte la pieza de la tripa y dos piezas interiores de los brazos de tela Buttercup.

Borde los ojos en la cabeza con hilo de bordar negro con doble hebra.

Sujete con alfileres las dos piezas del cuerpo con los lados derechos juntos y cósalas con un margen de costura de 0,5 cm. Empiece en la base de la cabeza, rodéela y siga por la espalda hasta la cola. Deténgase a 9 cm, aproximadamente, del final de la cola.

Sujete con alfileres un extremo de la pieza de la tripa al cuerpo, con los lados derechos juntos, y cósala con un margen de costura de 0,5 cm. Dele la vuelta al dinosaurio y repita el proceso en el otro extremo

Debe aumentarse un 250% para conseguir el tamaño real.

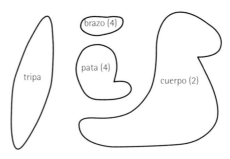

de la tripa; deje una abertura de
6 cm. Con unas tijeras, haga
pequeños cortes en forma de V
en las curvas que vaya encontrando
(con cuidado para no cortar el hilo).
De ese modo, el dinosaurio quedará
más liso cuando le dé la vuelta.

Dé la vuelta al dinosaurio
y rellénelo. Cósalo a mano con
puntadas invisibles para cerrarlo.

Cosa las patas y los brazos con
los lados derechos juntos y deje
una abertura de 4 cm. Deles
la vuelta y rellénelos. Cósalos
a mano con puntadas invisibles
para cerrarlos.

Sujete las patas y los brazos con
alfileres a ambos lados del cuerpo
y dé dos puntadas a cada uno.

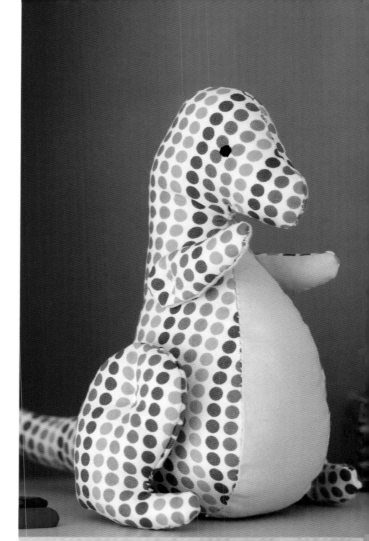

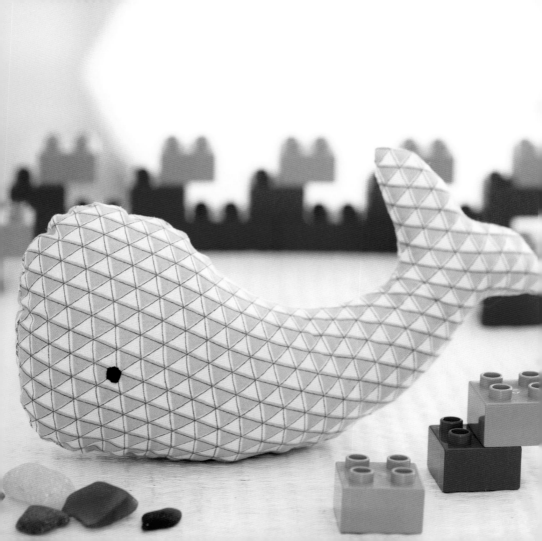

ballena de tela

véanse variaciones en la página 97

materiales

- tela: Cloud9 Fabrics
  (100 % algodón orgánico),
  25 cm de Monsterz
- papel de calcar
- alfileres de costura
- hilo de bordar negro
- hilo de coser negro
- máquina de coser
  (opcional)
- palito para empujar
  el relleno
- relleno
- girador de puntos

dimensiones finales: 23,5 cm
de longitud; 10 cm de altura

instrucciones

Calque el patrón de la ballena
sobre la tela y córtelo. Asegúrese
de girarlo para que quede la parte
opuesta del cuerpo.

Borde unos ojos ovalados con hilo
negro (uno en cada lado de la cabeza
de la ballena).

Con los lados derechos juntos, cosa
las piezas a mano o a máquina;
empiece en la parte de la tripa, a
12 cm de la cola. Continúe cosiendo
hacia la cola, sobre el lomo y la
cabeza. Deje una abertura de 7,5 cm
en la tripa.

Dele la vuelta a la ballena y utilice
un girador de puntos para sacar
las esquinas de la cola. Rellene
el cuerpo poco a poco; ayúdese
de un palito para llegar hasta
la cola.

Cuando acabe de rellenar la ballena,
cósala a mano y con puntadas
invisibles para cerrarla por la tripa.

Debe aumentarse un 390 %
para conseguir el tamaño real.

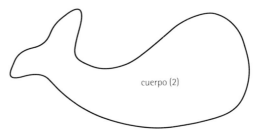

cuerpo (2)

osito de fieltro con aguja

véanse variaciones en la página 98

instrucciones

Para confeccionar la tripa, empiece con suficiente fibra para formar una bola de 8,75-10 cm de fibra. Comience por un extremo y vaya metiendo la fibra por los lados a medida que se va formando una bola apretada. Recuerde que la bola encogerá un poco cuando trabaje el fieltro. Mantenga el extremo en su lugar.

Coloque la bola sobre la almohadilla de espuma y sujétela con los dedos por ambos lados, de manera que

materiales

■ fibra de lana, unos 25 g marrón claro y un poco de negra

■ almohadilla de espuma para trabajar fieltro con aguja

■ aguja para fieltro de tamaño 38

dimensiones finales: 4 cm de longitud; 3 cm de anchura; 5 cm de altura

el centro quede despejado para trabajarlo. Pinche los extremos para redondear la forma y continúe trabajando la lana por todas partes hasta que la bola esté densa (pero sin que le dificulte el trabajo).

Cuando tenga lista la pieza básica, dé forma a la tripa aplanando la parte superior, donde irá la cabeza. Estreche los hombros pinchando esa zona con la aguja. Para la cabeza, tome una cantidad más pequeña de fibra marrón y trabájela tal como se indica para el cuerpo. Dé forma al hocico pinchando y metiendo la parte delantera de la cara.

Tome un poco de lana y cree un pequeño tubo con los dedos para confeccionar las orejas. Trabaje el fieltro con la aguja para compactarlo y dé forma de U al tubo. Sujételo en el lugar correspondiente de la cabeza y trabájelo con la aguja hasta que quede firmemente sujeto. Repita el proceso para la otra oreja. Trabaje un poco de lana negra con los dedos para hacer los ojos y el hocico. Colóquelos en el lugar

correspondiente de la cabeza con la ayuda de la aguja hasta que queden bien unidos. Trabaje las líneas de la boca por debajo del hocico pinchando varias veces hacia delante y atrás.

Forme un tubo con un poco de lana y trabájelo con la aguja para obtener un brazo. Si necesita más lana, añádala alrededor del tubo y trabájela con la aguja. Deje un extremo del tubo más fino para sujetarlo al cuerpo. Repita el proceso con el otro brazo y ambas patas, las cuales deben ser más largas y algo más gruesas. Corte el exceso de lana.

Para sujetar los brazos y las patas, póngalos pegados al cuerpo y trabájelos con la aguja hasta que queden fijos. Si necesita ocultar alguna costura, envuélvala con un poco de lana y trabájela con la aguja para alisarla y fusionarla con el resto del cuerpo.

zorro de punto

véanse variaciones en la página 99

materiales

- hilo: Brown Sheep Nature Spun Worsted (100% lana, 100 g, 224 m), 1 ovillo de (A) Pomegranate, (B) Natural
- adp de 4,5 mm
- relleno
- aguja de tapicería
- marcador de puntos
- fieltro de lana blanco y negro
- hilo de coser blanco y negro
- ojos de plástico negro de 7,5 mm
- alubias

tensión: 5 ps en 7 filas = 2,5 cm
dimensiones finales: 7,5 cm de longitud; 9 cm de anchura; 15 cm de altura

instrucciones

cuerpo

Con A, M 8 ps, dividir entre 3 adp, colocar el marcador y unir en redondo.

V1 y todas las vueltas impares: tpd.

V2: [tpd1, 1adr], rep hasta el final (16 ps).

V4: [tpd2, 1adr], rep hasta el final (24 ps).

V6: [tpd3, 1adr], rep hasta el final (32 ps).

V8: [tpd4, 1adr], rep hasta el final (40 ps).

V9-19: tpd. Añadir las judías para aportar peso e ir rellenando a medida que teje.

V20: [tpd8, 2pdj], rep hasta el final (36 ps).

V22: [tpd7, 2pdj], rep hasta el final (32 ps).

V24: [tpd6, 2pdj], rep hasta el final (28 ps).

V26: [tpd5, 2pdj], rep hasta el final (24 ps).

V28: [tpd4, 2pdj], rep hasta el final (20 ps).

V30: [tpd3, 2pdj], rep hasta el final (16 ps).

V32: [tpd2, 2pdj], rep hasta el final (12 ps). Romper el hilo y pasar el extremo por todos los ps; cerrar el extremo y tejer los extremos.

cabeza

Con A, M 8 ps, dividir entre 3 adp, colocar el marcador y unir en redondo.

V1 y todas las vueltas impares: tpd.

V2: [tpd1, 1adr], rep hasta el final (16 ps).

V4: [tpd2, 1adr], rep hasta el final (24 ps).

V6: [tpd3, 1adr], rep hasta el final (32 ps).

V7-13: tpd.

V14: [tpd6, 2pdj], rep hasta el final (28 ps).

V16: [tpd5, 2pdj], rep hasta el final (24 ps).

V18: [tpd4, 2pdj], rep hasta el final (20 ps). Rellenar.

V20: [tpd3, 2pdj], rep hasta el final (16 ps).

V22: [tpd2, 2pdj], rep hasta el final (12 ps). Romper el hilo y pasar el extremo por los 12 ps; cerrar el extremo y tejer los extremos.

orejas

Levantar 7 ps en el extremo izquierdo de la cabeza y sujetar el hilo en la parte derecha.

F1 y 3: tpd.

F2 y 4: pr.

F5: tpd1; d, d, jpd; 2pdj, tpd1.

F6: pr.

F7: d, d, jpd; tpd1, 2pdj.

F8: pr.

F9: 3pdj.

Tejer los extremos y la segunda oreja.

cola

Con A, M 8 ps, dividir entre 3 adp, colocar
el marcador y unir en redondo.

V1 y todas las vueltas impares: tpd.

V2: [tpd1, 1adr], rep hasta el final (16 ps).

V4: [tpd2, 1adr], rep hasta el final (24 ps).

V5–21: tpd. Empezar a rellenar ligeramente
y continuar hasta el final.

V22: cambiar a B, [tpd3, 2pdj], rep hasta
el final (16 ps).

V24: [tpd2, 2pdj], rep hasta el final (12 ps).

V26: [tpd1, 2pdj], rep hasta el final (8 ps).

V28: 2pdj hasta el final (4 ps).

Romper el hilo y pasar el extremo por todos
los ps; cerrar el extremo y tejer los extremos.

detalles

Corte dos piezas de fieltro para el hocico
y la tripa. Borde la boca sobre el hocico.
Hilvane estas piezas en su lugar antes
de coserlas en la cara y el cuerpo. Pegue
los ojos. Corte una pequeña nariz triangular
de fieltro negro, de 1,25 cm de anchura
por 1 cm de altura, y cósala.

cangrejo de tela

véanse variaciones en la página 100

materiales

- tela: Robert Kaufman Kona Cotton (100 % algodón), 25 cm de Tomato y Buttercup
- papel de calcar
- cartulina
- hilo de coser rojo y beis
- relleno
- ojos de plástico negro de 15 mm

dimensiones finales: 29 cm de longitud; 20 cm de anchura

instrucciones

Corte el patrón del cuerpo en una cartulina. Calque y corte el resto del patrón del cangrejo en tela: la mitad de las patas y el cuerpo en la tela Tomato, y la otra, en la Buttercup (la parte superior y la inferior del cangrejo). Corte 4 patas de manera que se curven hacia la izquierda y 4 hacia la derecha. Corte ambos lados de las pinzas en tela Tomato.

Sujete con alfileres las patas y las pinzas, con los lados derechos juntos, y cosa cada pieza con un margen de costura de 0,5 cm; deje el borde recto abierto. Dele la vuelta al cangrejo y planche las arrugas. Rellénelo un poco. Hilvane a 0,5 cm, aproximadamente, de los bordes del cuerpo. Ponga la cartulina del interior del cuerpo en el centro del revés de la tela y tense bien las puntadas del hilván. Repita el proceso para la otra pieza del cuerpo y planche para conseguir un borde liso.

Coloque los ojos a unos 2,5 cm del borde delantero, en la parte superior del cuerpo y con una separación de 7,5 cm. Disponga la mitad inferior del cuerpo con el derecho hacia abajo y sitúe las pinzas y las patas a los lados. Espácielas de manera regular, con las pinzas curvadas de modo que se toquen. Cada lado tendrá dos patas en direcciones opuestas. Hilvane las patas y las pinzas a la pieza inferior del cuerpo. Coloque encima la pieza superior, con los lados del revés juntos, y sujételo todo con alfileres. Cosa con puntada vista y con hilo rojo a 1 cm del borde. Empiece a coser en una de las patas traseras y continúe hasta llegar a la otra pata trasera. Deje una abertura en la parte posterior (aproximadamente, 9 cm). Rellene y continúe cosiendo hasta cerrar el cangrejo.

Debe aumentarse un 380 % para conseguir el tamaño real.

cuerpo (2)

pata trasera (16)

pinza (4)

búho de ganchillo

véanse variaciones en la página 101

materiales

- hilo Worsted gris oscuro, 1 ovillo
- ganchillo de tamaño H
- arroz o alubias
- relleno
- retales en colores blanco y gris oscuro
- papel de calcar
- hilo de bordar gris oscuro y amarillo

tensión: 4,5 ps en 5 filas = 2,5 cm
dimensiones finales: 6 cm de diámetro; 10 cm de altura una vez relleno

instrucciones

cuerpo

Monte 6 pd en un anillo mágico, 1pst para unir.

V1: 2 pd en cada p, 1pst en el primer pd para unir – 12 pd.

V2: pc1, [pd en el siguiente p, 2 pd en el siguiente p] alrededor, 1pst en el primer pd para unir – 18 pd.

V3: pc1, [pd en los 2 ps siguientes, 2 pd en el siguiente p] alrededor, 1pst en el primer pd para unir – 24 pd.

V4: pc1, [pd en los 3 ps siguientes, 2 pd en el siguiente p] alrededor, 1pst en el primer pd para unir – 30 pd.

V5-15: pd1, pd en los 30 ps siguientes, 1pst en el primer pd para unir.

V16: pc1, [pd en los 3 ps siguientes, s 1, pd en el siguiente p] alrededor, 1pst en el primer pd para unir – 24 pd.

V17: pc1, [pd en los 2 ps siguientes, s 1, pd en el siguiente p] alrededor, 1pst en el primer pd para unir – 18 pd. Empiece a rellenar el búho con judías en el fondo, y con relleno o hilo y retales de un color similar al del hilo de tejer. Continúe rellenando a medida que va tejiendo las dos vueltas siguientes.

V18: pc1, [pd en el siguiente p, s 1, pd en el siguiente p] alrededor, 1pst en el primer pd para unir – 12 pd.

V19: pc1, [pd en el siguiente p, s 1, pd en el siguiente p] alrededor, 1pst en el primer pd para unir – 6 pd. Atar y tejer los extremos.

cara y alas

Calque la cara y las alas del búho. Recorte las formas y sujételas con alfileres a los retales. Corte una mezcla de cinco plumas (hay de tres tamaños distintos) para cada ala. Borde el pico y los ojos en la cara, y cósalo con punto de festón. Sujete las plumas con alfileres y cósalas con puntadas verticales en la parte superior de cada una. Por último, borde algunas puntadas aleatorias en la tripa.

Todas las piezas de las plantillas deben aumentarse un 400 % para conseguir el tamaño real.

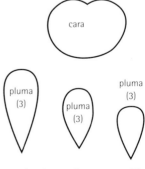

cara

pluma (3)

pluma (3)

pluma (3)

animales y criaturas   79

saltamontes de tela

véanse variaciones en la página 102

materiales

- fieltro en colores verde salvia, crema, verde oliva, negro
- papel de calcar
- alfileres de costura
- tiza de sastre
- hilo de coser de los colores del fieltro
- aguja de coser
- relleno
- limpiapipas o alambre
- tenazas

dimensiones finales: 9 cm de anchura; 14 cm de longitud; 9 cm de altura

instrucciones

Calque el patrón del saltamontes de los siguientes colores de fieltro y córtelo: verde salvia: (2) cuerpos, (1) pieza para el cuello, (4) «muslos»; crema: (4) patas traseras, (4) patas delanteras; verde oliva: (2) alas; negro: (2) antenas, (2) ojos.

Cosa con punto de festón las dos piezas del cuerpo y deje abierta la sección de la tripa. No rompa el hilo. Sujete con la mano o con alfileres la pieza de la tripa por uno de los bordes y continúe cosiendo con punto de festón. Rellene el cuerpo a medida que va cosiendo hacia el otro lado del estómago. Ate y oculte los extremos por dentro.

Alinee las alas en el lomo del saltamontes y cosa cada una al cuerpo lo más cerca posible del cuello. Coloque la pieza del cuello como un collar sobre las puntadas que acaba de dar a las alas. Cosa el cuello al cuerpo con punto de festón, directamente sobre las alas.

Añada alambre en el interior de las patas a fin de que el saltamontes se mantenga de pie. Para ello, corte una pieza de alambre que mida 2,5 cm más que la pata. Doble las puntas hacia dentro para que no perforen el fieltro. Doble el alambre de manera que encaje con la forma de la pata y colóquelo entre dos piezas de una pata. Cosa las piezas con punto de festón y repita con todas las extremidades.

Los saltamontes necesitan unas patas traseras fuertes para saltar; por ello, hay que añadir unas piezas a modo de «muslos» en las patas traseras. Introduzca una pata trasera entre las dos piezas de un muslo en un ángulo de 45 grados, en la articulación entre las dos piezas. Cosa el muslo con punto de festón y rellénelo ligeramente a medida que va cosiendo. Cosa los muslos al cuerpo, a 2,5 cm del extremo de la cola. Repita el proceso con la otra pata. Cosa las patas delanteras al cuerpo, y los ojos y las antenas, a la cabeza.

Todas las piezas de las plantillas
deben aumentarse un 190 %
para conseguir el tamaño real.

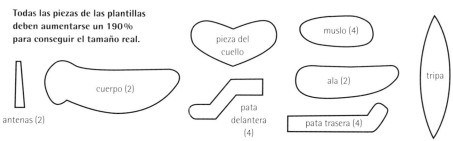

antenas (2)

cuerpo (2)

pieza del
cuello

pata
delantera
(4)

muslo (4)

ala (2)

pata trasera (4)

tripa

estegosaurio de fieltro

véanse variaciones en la página 103

materiales

- fibra de lana, aproximadamente 12 g de ocre amarillo y un poco de negra para los ojos
- fieltro de lana de color verde salvia
- almohadilla de espuma para trabajar fieltro con aguja
- aguja para fieltro de tamaño 38
- hilo de color ocre amarillo
- aguja de coser

dimensiones finales: 14 cm de longitud; 4,5 cm de anchura; 8,25 cm de altura

instrucciones

Tome suficiente fibra amarilla para formar un tubo apretado de 11,5 cm de longitud por 5,5 cm de anchura, con la sección central más ancha que los extremos.

Ponga la lana enrollada sobre la almohadilla de espuma y sujete los extremos con los dedos. Tome la aguja con la otra mano y trabaje los extremos. Vaya pinchando toda la pieza hasta que considere que está firme. No se preocupe si la lana no parece lisa; ya lo solucionará al final.

Dé forma a la cabeza y a la cola del estegosaurio. Si una de las dos piezas o ambas tienen que ser más largas, envuélvalas con una capa de lana y continúe trabajando. Proceda del mismo modo con la tripa si considera que tiene que ser más voluminosa. Coloque otra capa de lana en torno a la pieza para alisarla y trabaje con cuidado los bordes para que quede uniforme. Forme cuatro tubos más pequeños para las patas y deje un extremo irregular: de ese modo le resultará más fácil trabajar el cuerpo. Coloque la pata pegada al cuerpo y trabaje la lana para que quede sujeta.

Con un poco de lana negra, añada unos pequeños puntos negros para los ojos. Corte escamas de fieltro verde de diferentes tamaños y cóselas en el lomo.

libélula de ganchillo

véanse variaciones en la página 104

materiales

- hilo: Lion Brand Cotton
  Bamboo (52 % algodón,
  48 % bambú, 100 g, 225 m),
  1 ovillo de (A) Persimmon;
  Brown Sheep Cotton Fleece
  (80 % algodón, 20 % lana
  merino, 100 g, 196 m),
  1 ovillo de (B) Cavern
- ganchillo de 4 mm
- aguja de tapicería

tensión: 5 ps en 6 filas = 2,5 cm
dimensiones finales: 11,5 cm
de anchura; 14 cm de longitud

instrucciones

alas

Con A, pc 11, girar.

F1: empezar en la 2.ª cd desde
el ganchillo, 10 pd, girar.

F2: pc 1, pd en los 9 ps siguientes
(continuar tejiendo por la parte
trasera del pc de base), 2 pd en
los 2 ps siguientes, 9 pd - 22 pd.
Romper el hilo y tejer los extremos.
Tejer tres alas más.

cuerpo

Con B, 6 pd en un anillo mágico,
1pst para unir.
Cd 1, pd en los 6 ps siguientes, 1pst
en 7,5 cm y rellenar con el mismo
hilo negro con el que se teje.

V1: cd 1, [2 pd, 2 pd en el siguiente
p] 2 veces, 1pst en el primer pd para
unir – 8 pd.

V2: cd 1, pd en los 8 ps siguientes,
1pst en el primer pd para unir.

V3: cd 1, [pd en los 3 ps siguientes,
2 pd en el siguiente p] rep una vez,
1pst – 10 pd.

V4: cd 1, pd en los 10 ps siguientes,
1pst en el primer pd para unir.

V5: cd 1, [pd en los 3 ps siguientes,
pd2j] rep una vez, 1pst – 8 pd.

V6: cd 1, pd en los 8 ps siguientes,
1pst en el primer pd para unir.

V7: cd 1, [pd en los 2 ps siguientes,
pd2j] 2 veces, 1pst en el primer pd
para unir – 6 pd.

cabeza

Cd 1, [pd en los 6 ps siguientes, 1pst]
en 1,25 cm. Atar y tejer los extremos.
Bloquear las alas y aplanar los
extremos; coserlas a ambos lados
del cuerpo.

pulpo de ganchillo

véanse variaciones en la página 105

materiales

- hilo: Brown Sheep Lamb's Prise Worsted (85% lana, 15% mohair, 100 g, 175 m), 1 ovillo de (A) Limeade, (B) Pumpkin
- ganchillo de 5 mm
- ojos de plástico negro de 9 mm
- hilo de bordar negro

tensión: 4,5 ps en 5 filas = 2,5 cm

dimensiones finales: 12 cm de anchura; 12 cm de altura

instrucciones

cuerpo

Con A, teja 6 pd en un anillo mágico, 1pst en el primer pd para unir.

V1: cd 1, 2 pd en cada p, 1pst en el primer pd para unir – 12 pd.

V2: cd 1, [pd en los 2 ps siguientes, 2 pd en el siguiente p] 4 veces, 1pst en el primer pd para unir – 16 pd.

V3: cd 1, [pd en los 3 ps siguientes, 2 pd en el siguiente p] 4 veces, 1pst en el primer pd para unir – 20 pd.

V4: cd 1, [pd en los 4 ps siguientes, 2 pd en el siguiente p] 4 veces, 1pst en el primer pd para unir – 24 pd.

V5: cd 1, [pd en los 5 ps siguientes, 2 pd en el siguiente p] 4 veces, 1pst en el primer pd para unir – 28 pd.

V6: cd 1, [pd en los 6 ps siguientes, 2 pd en el siguiente p] 4 veces, 1pst en el primer pd para unir – 32 pd.

V7-10: cd 1, pd en los 32 ps siguientes, 1pst en el primer pd para unir. Inserte los ojos a 0,5 cm del borde y con 5 cm de separación.

V11: cd 1, [pd en los 6 ps siguientes, pd2j] 4 veces, 1pst en el primer pd para unir – 28 pd.

V12: cd 1, [pd en los 5 ps siguientes, pd2j] 4 veces, 1pst en el primer pd para unir – 24 pd.

V13: cd 1, [pd en los 4 ps siguientes, pd2j] 4 veces, 1pst en el primer pd para unir – 20 pd.

Empiece a rellenar y continúe hasta el final.

V14: cd 1, [pd en los 3 ps siguientes, pd2j] 4 veces, 1pst en el primer pd para unir – 16 pd.

V15: cd 1, [pd en los 2 ps siguientes, pd2j] 4 veces, 1pst en el primer pd para unir – 12 pd.

V16: cd 1, [pd2j] 6 veces, 1pst en el primer pd para unir – 6 pd.

Cosa una pequeña sonrisa en la cara. Rompa el hilo, átelo y teja los extremos.

tentáculos

Con B, teja 6 pd en un anillo mágico, 1pst para unir.

V1: cd 1, [pd en el siguiente p, 2 pd en el siguiente p] 3 veces, 1pst en el primer pd para unir – 9 pd. Atar B, unir A.

V2-10: cd 1, pd en los 8 ps siguientes, 1pst en el primer pd para unir. Rompa el hilo de manera que quede suficiente para coser y rellenar 2 cm del tentáculo. Realice siete tentáculos más siguiendo el mismo procedimiento. Aplane el extremo y distribuya cuatro tentáculos de forma regular en el borde exterior de la base del cuerpo; cóselos. Reparta los cuatro tentáculos restantes entre los anteriores, por debajo, y cóselos. Teja los extremos.

cerdito de ganchillo

véanse variaciones en la página 106

materiales

- hilo: Brown Sheep
  Shepherd's Shades
  (100 % lana, 100 g, 120 m),
  1 ovillo de (A) Rose Petal
  y (B) Thistle
- ganchillos de 5,5 y 6 mm
- relleno
- aguja de tapicería
- hilo de bordar negro
- ojos de plástico negro
  de 7,5 mm

tensión: 4 ps en 4,5 filas
= 2,5 cm
dimensiones finales: 14,5 cm
de longitud; 6,5 cm de anchura;
7,5 cm de altura

instrucciones

cuerpo (con ganchillo de 6 mm)

Con A, teja 6 pd en un anillo
mágico, 1pst en el primer pd
para unir en redondo.

V1: pc 1, 2 pd en cada cd, 1pst
en el primer pd para unir – 12 pd.

V2: pc 1, [pd en el siguiente p,
2 pd en el siguiente p] 6 veces, 1pst
en el primer pd para unir – 18 pd.

V3: pc 1, [pd en los 2 ps siguientes,
2 pd en el siguiente p] 6 veces, 1pst
en el primer pd para unir – 24 pd.

V4-8: pc 1, pd en cada p, 1pst
en el primer pd para unir.

V9: pc 1, [pd en los 3 ps siguientes, 2
pd en el siguiente p] 3 veces, pd
en los 12 ps siguientes, 1pst en el
primer pd para unir – 27 pd.

V10: pc 1, [pd en los 4 ps siguientes,
2 pd en el siguiente p] 3 veces, pd
en los 12 ps siguientes, 1pst en el
primer pd para unir – 30 pd.

V11-12: pc1, pd en los 30 ps
siguientes, 1pst en el primer pd
para unir.

V13: pc 1, [pd en los 4 ps siguientes,
pd2j] 3 veces, pd en los 12 ps
siguientes, 1pst en el primer pd
para unir – 27 pd.

V14: pc 1, [pd en los 3 ps siguientes,
pd2j] 3 veces, pd en los 12 ps
siguientes, 1pst en el primer pd
para unir – 24 pd.

V15-19: pc 1, pd en los 24 ps
siguientes, 1pst en el primer pd
para unir – 24 pd.
Empiece a rellenar el cuerpo
y continúe hasta el final.

V20: pc 1, [pd en los 2 ps siguientes,
pd2j] 6 veces, 1pst en el primer pd
para unir – 18 pd.

V21: pc 1, [pd en el siguiente p,
pd2j] 6 veces, 1pst en el primer pd
para unir – 12 pd.

V22: pc 1, [pd2j] 6 veces, 1pst
en el primer pd para unir – 6 pd.

Rompa el hilo y teja los extremos;
cierre el extremo. La zona aumentada
es la tripa.

hocico (con ganchillo de 6 mm)

Con B, teja 6 pd en un anillo
mágico, 1pst en el primer pd
para unir en redondo.

V1: pc 1, 2 pd en cada p, 1pst en
el primer pd para unir – 12 pd.

V2: pc 1, pd en los 12 ps siguientes,
1pst en el primer pd para unir.

Rompa el hilo y deje suficiente hilo para coser el hocico a la cara.

<u>orejas (con ganchillo de 6 mm)</u>
Pc 4 ps, pc 1, girar.
F1: empiece en la 2.º cd desde el ganchillo, 3 pd, pc 1, girar.
F2: empiece en el 2.º p desde el ganchillo, 2 pd, 2 pd en los 2 ps siguientes, 2 pd.
Rompa el hilo y deje suficiente cantidad para coser las orejas a la cabeza. Se enroscará un poco, lo cual no supone un problema. Teja la otra oreja.

<u>pezuñas (con ganchillo de 6 mm)</u>
Con B, teja 6 pd en un anillo mágico, 1pst en el primer pd para unir.
V1: pc 1, [pd en el siguiente p, 2 pd en el siguiente p] 3 veces, 1pst en el primer pd para unir – 9 pd.
V2: pc 1, [pd en los 2 ps siguientes, 2 pd en el siguiente p] 3 veces, 1pst en el primer pd para unir. Atar B, unir A – 12 pd.
V3-6: pc 1, pd en los 12 ps siguientes, 1pst en el primer pd para unir.

Rompa el hilo y deje suficiente cantidad para coser las pezuñas al cuerpo. Teja tres pezuñas más.

<u>cola (con ganchillo de 5,5 mm y A)</u>
Cd 6, gire y empiece la 2.º cd desde el ganchillo, 3 pd en cada p. Deje suficiente hilo y cosa la cola.

Rellene las pezuñas y cósalas al cuerpo. Meta los extremos del hocico y rellénelo un poco más si es necesario; cóaalo, a continuación, en el centro del rostro. Añada los ojos de plástico negro y cosa las orejas y la cola. Dé unas puntadas negras en el hocico a modo de fosas nasales.

oruga de punto

véanse variaciones en la página 107

materiales

- hilo: Brown Sheep Nature Spun Worsted (100 % lana, 100 g, 224 m), 1 ovillo de (A) Regal Purple, (B) French Clay, (C) Turquoise Wonder, (D) Impasse Yellow, (E) Peruvian Pink, (F) Lemon Grass, (G) Snow, (H) Pepper
- agujas rectas de 4 mm
- ganchillo de 3,75 mm
- relleno
- aguja de tapicería
- ojos de plástico negro de 7,5 mm

tensión: 6 ps en 7,5 filas = 2,5 cm

dimensiones finales: 16 cm de longitud; 3 cm de anchura; 4 cm de altura

instrucciones

Con A, M 8 ps.

F1: pr.

F2: tpd1, 1adr, *tpd2, 1adr* 3 veces, tpd1 – 12 ps.

F3: pr.

F4: tpd1, 1adr, *tpd2, 1adr* 5 veces, tpd1 – 18 ps.

F5–7: continuar en pj.

F8: cambiar a B y tpd.

F9–13: pj.

F14: cambiar a C y tpd.

Continúe tejiendo; cambie de color cuando haya tejido seis filas. Rellene la pieza a medida que la va tejiendo. Cuando llegue al color G, trabaje de la siguiente manera:

F1–6: tpd.

F7: *tpd1, 2pdj*, rep hasta el final – 12 ps.

F8: pr.

F9: *tpd1, 2pdj*, rep hasta el final – 8 ps.

F10: pr.

R y teja los extremos con suficiente hilo de coser. Coloque los ojos de plástico y teja con hilo negro (color H) las antenas, en la cabeza, con 4 cd. Cosa con punto colchonero a lo largo de la oruga y rellene. Cosa los extremos para cerrar la oruga.

brontosaurio de ganchillo

véanse variaciones en la página 108

materiales

- hilo: Brown Sheep Lamb's Pride Worsted (85% lana, 15% mohair, 100 g, 175 m), 1 ovillo de Aztec Turquoise
- ganchillo de 5 mm
- aguja de tapicería
- relleno
- limpiapipas × 2
- fieltro de lana negro
- hilo de bordar negro

tensión: 4 ps en 5 filas = 2,5 cm
dimensiones finales: 32 cm de longitud; 11 cm de anchura; 18 cm de altura

instrucciones

cola

Pc 2, 6 pd en la 2.º pc desde el ganchillo, 1pst en el primer pd para unir.

V1: pc 1, [pd en el siguiente p, 2 pd en el siguiente p] 3 veces, 1pst en el primer pd para unir – 9 pd.

V2-9: pc 1, pd en los 9 ps siguientes, 1pst en el primer pd para unir.

V10: pc 1, [pd en los 2 ps siguientes, 2 pd en el siguiente p] 3 veces, 1pst en el primer pd para unir – 12 pd.

V11: pc 1, pd en los 12 ps siguientes, 1pst en el primer pd para unir.

V12: pc 1, [pd en los 3 ps siguientes, 2 pd en el siguiente p] 3 veces, 1pst en el primer pd para unir – 15 pd.

V13: pc 1, pd en los 15 ps siguientes, 1pst en el primer pd para unir.

V14: pc 1, [pd en los 4 ps siguientes, 2 pd en el siguiente p] 3 veces, 1pst en el primer pd para unir – 18 pd.

V15: pc 1, pd en los 18 ps siguientes, 1pst en el primer pd para unir.

V16: pc 1, [pd en los 2 ps siguientes, 2 pd en el siguiente p] 6 veces, 1pst en el primer pd para unir – 24 pd.

V17: pc 1, pd en los 24 ps siguientes, 1pst en el primer pd para unir.

V18: pc 1, [pd en los 3 ps siguientes, 2 pd en el siguiente p] 6 veces, 1pst en el primer pd para unir.

V19: pc 1, pd en los 30 ps siguientes, 1pst en el primer pd para unir.

V20: pc 1, [pd en los 4 ps siguientes, 2 pd en el siguiente p] 6 veces, 1pst en el primer pd para unir – 36 pd. Doble el extremo de un limpiapipas de manera que la punta quede redondeada y colóquelo en el interior de la cola; empiece a rellenar. Continúe rellenando a medida que teje.

V21-29: pc 1, pd en los 36 ps siguientes, 1pst en el primer pd para unir.

V30: pc 1, [pd en los 4 ps siguientes, pd2j] 6 veces, 1pst – 30 pd.

V31: pc 1, pd en los 30 ps siguientes, 1pst en el primer pd para unir.

V32: pc 1, [pd en los 3 ps siguientes, pd2j] 6 veces, 1pst en el primer pd para unir – 24 pd.

V33: pc 1, pd en los 24 ps siguientes, 1pst en el primer pd para unir. Empiece a dar forma al cuello en los 16 ps siguientes.

F34: pc 1, [pd en los 2 ps siguientes, pd2j] 4 veces, 1pst en el siguiente pd para unir, girar.

F35: pc 1, [pd en el siguiente p, pd2j] 4 veces, 1pst en el siguiente pd para unir, girar.

F36-38: empiece el 2.º pd desde el ganchillo, pd en los 8 ps siguientes, 1pst en el siguiente pd para unir, girar. Introduzca un limpiapipas en la base del cuello unos 3-5 cm, al menos, hacia el cuerpo; rellene la pieza a medida que la teje.

V39-46: pc 1, pd en los 18 ps siguientes, 1pst en el primer pd para unir – 18 pd.

V47: pc 1, [pd en los 4 ps siguientes, pd2j] 3 veces, 1pst en el primer pd para unir – 15 pd.

V48-52: pc 1, pd en los 15 ps siguientes, 1pst en el primer pd para unir – 15 pd.

<u>cabeza</u>

V53: pc 1, [pd en los 2 ps siguientes, 2 pd en el siguiente p] 5 veces, 1pst en el primer pd para unir – 20 pd.

V54: pc 1, [pd en los 3 ps siguientes, 2 pd en el siguiente p] 5 veces, 1pst en el primer pd para unir – 25 pd.

V55: pc 1, [pd en los 2 ps siguientes, 2 pd en el siguiente p] 5 veces, 10 pd, 1pst en el primer pd para unir – 30 pd.

V56-57: pc 1, pd en los 30 ps siguientes, 1pst en el primer pd para unir.

V58: pc 1, [pd en los 2 ps siguientes, pd2j] 5 veces, 10 pd, 1pst en el primer pd para unir – 25 pd.

V59: pc 1, [pd en los 3 ps siguientes, pd2j] 5 veces, 1pst en el primer pd para unir – 20 pd.

V60: pc 1, [pd en los 2 ps siguientes, pd2j] 5 veces, 1pst en el primer pd para unir – 15 pd.

V61: pc 1, [pd en el siguiente p, pd2j] 5 veces, 1pst en el primer pd para unir – 10 pd.

V62: pc 1, [pd2j] 5 veces, 1pst en el primer pd para unir – 5 pd. Ate y teja los extremos.

<u>patas</u>

V1: pd 6 en un anillo mágico, 1pst en el primer pd para unir.

V2: 2 pc en cada p, 1pst en el primer pd para unir – 12 pd.

V3: pc1, [1 pd, 2 pd en el siguiente p] 6 veces, 1 pst en el primer pd para unir, cd 1 – 18 pd.

V4-9: pc1, 18 pd, 1pst en el primer pd para unir.

Ate; deje suficiente hilo para coser las patas al cuerpo. Teja tres patas más. Rellénelas y cósalas. Corte dos ojos de fieltro negro y cósalos.

patito de punto

véanse variaciones en la página 109

materiales

- hilo: Brown Sheep Co. Shepherd's Shades (100 % lana, 100 g, 120 m), 1 ovillo de Sunshine
- fibra de lana naranja, una pequeña cantidad para el pico
- adp de 6 mm
- relleno
- aguja de tapicería
- ojos de plástico negro de 7,5 mm
- almohadilla de espuma para trabajar fieltro con aguja
- aguja para fieltro de tamaño 38

tensión: 4,5 ps en 6 filas = 2,5 cm

dimensiones finales: 9 cm de longitud; 4,5 cm de anchura; 7,5 cm de altura

instrucciones

cuerpo

M 8 ps, dividir entre 3 adp y unir para tejer en redondo.

V1: tpd.
V2: *tpd2, 1adr*, rep 3 veces más hasta el final – 12 ps.
V3: tpd.
V4: *tpd3, 1adr*, rep 3 veces más hasta el final – 16 ps.
V5: tpd.
V6: *tpd4, 1adr*, rep 3 veces más hasta el final – 20 ps.
V7–14: tpd.
V15: *tpd3, 2pdj*, rep 3 veces más hasta el final – 16 ps.
V16: tpd. Empiece a rellenar el cuerpo y continúe hasta el final.
V17: *tpd2, 2pdj*, rep 3 veces más hasta el final – 12 ps.
V18: *tpd1, 2pdj*, rep 3 veces más hasta el final – 8 ps. Rompa el hilo y teja el resto de los ps tirantes para cerrar. Teja los extremos.

cabeza

M 8 ps en 3 adp y unir para tejer en redondo.

V1: tpd.
V2: *tpd2, 1adr*, rep 3 veces más hasta el final – 12 ps.

V3: tpd.
V4: *tpd3, 1adr*, rep 3 veces más hasta el final – 16 ps.
V5–7: tpd.
V8: *tpd2, 2pdj*, rep 3 veces más hasta el final – 12 ps.

Empiece a rellenar la cabeza y continúe hasta el final.

V9: tpd.
V10: *tpd1, 2pdj*, rep 3 veces más hasta el final – 8 ps. Coloque los ojos de plástico utilizando la fotografía de la página 109 a modo de guía.
V11: tpd.

Rompa el hilo y teja los siguientes ps apretados para cerrar. Teja los extremos.

pico

Doble un poco de fibra de lana naranja para formar el pico (aproximadamente, 4 cm de longitud y 2,5 cm de anchura; tenga en cuenta que se encogerá cuando lo trabaje con la aguja). Coloque la fibra sobre la almohadilla de espuma y pínchela con la aguja hasta redondear el pico y dejar un extremo un poco más delgado. Apoye el pico en la cara del pato y trabájelo por arriba y por abajo. Continúe hasta que quede bien sujeto. Cosa la cabeza en su lugar con hilo amarillo y oculte los extremos en el interior del pato.

variaciones

conejo de tela

véase el diseño básico de la página 67

decoración de conejito
Utilice los patrones del cuerpo y las orejas del conejo para crear un bonito detalle, que le servirá para decorar una manta infantil o para enmarcar. Siga las instrucciones del patrón de capa de superhéroe (*véase* pág. 159) para calcarlo y coserlo.

conejito de Pascua de chocolate
Siga el patrón para confeccionar el conejo utilizando tela de color marrón chocolate. Ate un lazo amarillo alrededor del cuello del conejito y utilícelo para decorar.

tope de puerta con conejito
Aumente el patrón en un 150 % y siga las instrucciones indicadas para coser el conejo. Rellene la base del cuerpo con arroz o alubias para que el tope quede resistente.

conejito de angora
Trabaje con fieltro y haga un conejito esponjoso de angora. Con fibra de lana blanca, forme un óvalo de 5 × 7,5 cm y una cabeza redonda de 3 cm. Sujete unas orejas de 4 cm de longitud y córtelas; trabájelas con la aguja hasta que queden unidas al cuerpo. Tome pequeñas hebras de lana y manipule un extremo para unirlas al conejo. Rodee el peluche con las hebras hasta que lo haya cubierto por completo, incluido el rostro, pero deje una zona despejada alrededor del hocico y la boca. Cosa los ojos, el hocico y la boca en la cara. Trabaje con aguja una bola blanca de fieltro de 2 cm para la cola.

familia de conejos
Aumente el patrón del conejo en un 100 % para confeccionar al papá y la mamá conejo según las instrucciones indicadas para coser y rellenar un conejo. Para formar una familia, cree tres animales más utilizando el patrón normal.

variaciones

t-rex blandito

véase el diseño básico de la página 68

velocirraptor

Siga el patrón del t-rex, pero ampliando los brazos para curvarlos hacia abajo y adentro. Corte la curva de la tripa del patrón del cuerpo a 4 cm en el punto más ancho y redúzcala desde el cuello hasta la cola para que el velocirraptor quede más esbelto que el t-rex.

dragón

Siga las instrucciones para el t-rex, pero utilice una tela de algodón verde. Corte dos alas en punta de 7,5 cm de tela de algodón naranja y cósalas. Deje una abertura de 4 cm para darles la vuelta; rellénelas ligeramente y ciérrelas. Repita el proceso con dos alas más y cósalas a mano en el lomo del dragón, justo por detrás de las patas delanteras.

godzilla

Utilice un patrón texturizado, con escamas, y siga las instrucciones del t-rex para crear un muñeco godzilla. Corte las escamas y cósalas en el lomo y la cola, como en el estegosaurio de fieltro de la página 83. Cosa unos dientes blancos afilados en la boca. Trabaje con fieltro unos pequeños rascacielos para crear la sensación de que el godzilla los va a derribar.

t-rex gigante

Aumente el patrón del t-rex en un 100 % y siga las mismas instrucciones de costura y montaje para confeccionar un dinosaurio más grande.

canguro

Utilice una tela de color marrón claro para convertir el t-rex en un canguro. Cosa unas orejas de 2,5-4 cm a la cabeza. Con una tela de color crema, confeccione la tripa; añádale una bolsa cosida. Reduzca el patrón para crear una cría que quepa en la bolsa.

variaciones

ballena de tela

véase el diseño básico de la página 71

narval (imagen)
Añada un diente puntiagudo para confeccionar un narval. Corte dos tiras de fieltro amarillo de 12,5 cm y 2,5 cm de longitud. Vaya estrechando la de 2,5 cm hasta que quede en punta y cósalas.

orca
Utilice tela negra en lugar de tela estampada para confeccionar una orca, la ballena asesina. Corte una aleta triangular de 5 cm y cósala en el lomo del animal. Corte óvalos blancos de fieltro para la cara y puntos blancos para el estómago; cósalos sobre la orca.

delfín
Estreche la cabeza de la ballena para que quede en punta, como la de un delfín. Utilice tela gris para el cuerpo. Corte una aleta dorsal triangular de 5 cm y cósala en el lomo del animal.

ballenatos
Reduzca el patrón a un cuarto. Corte y cosa tres ballenatos planos de fieltro. Cosa una bolsa en un lado de la mamá ballena para guardar las crías.

tiburón
Estreche la cabeza de la ballena de manera que acabe en una punta redondeada, que será la boca del tiburón. Borde unos dientes afilados y unas agallas a los lados de la cabeza. Corte una aleta triangular de 7,5 cm y cósala en el lomo.

variaciones

osito de fieltro con aguja

véase el diseño básico de la página 72

elefante de fieltro con aguja

Siga las mismas instrucciones que para crear el osito, pero utilice lana gris. Trabaje el fieltro con aguja para formar unas orejas caídas de 1,25 cm y confeccione la trompa como se indica en el caso de los brazos del oso. Sujete la trompa a la cara en lugar del hocico y alise la costura con una capa de lana.

ricitos de oro y los tres osos

Trabaje con fieltro tres osos de tres tamaños distintos, y, a continuación, confeccione la muñeca Ricitos de Oro. Empiece formando una bola de lana azul para el cuerpo; añada más lana en un extremo y cree un cono para representar la falda. Siga añadiendo lana hasta que quede bien distribuida. Trabaje una bola beis para la cabeza y corte tiras de hilo amarillo; sujételas a la cabeza directamente con la aguja hasta conseguir una poblada melena. Forme pequeños tubos de lana beis para los brazos y las piernas y colóquelos en su lugar correspondiente trabajándolos con la aguja. Añada la cara, un delantal, los zapatos y las mangas.

león

Utilice lana amarilla en lugar de verde oliva y el mismo patrón que el indicado para crear el osito. Trabaje piezas pequeñas de lana naranja en un círculo alrededor de la cara y deje mechones de lana suelta a modo de melena. Ate una cola de 1,25 cm con hilo de bordar amarillo y realice otro nudo cerca del final del hilo.

oso panda

Use el mismo patrón que para hacer el oso y lana negra y blanca. Trabaje la tripa y la cabeza con lana blanca, y las orejas, las patas y la zona de alrededor de los ojos, con lana negra. Envuelva los hombros del panda con lana negra y manipúlela para que quede unida a los brazos.

koala

Siga las mismas instrucciones que para crear el oso, pero emplee lana gris. Confeccione las orejas dos veces más grandes que las del osito y trabájelas con la aguja para sujetarlas a la parte superior de la cabeza. La nariz, negra, también será de mayor tamaño. Corte unas cuantas hojas de eucalipto de fieltro de lana y cóselas en una de las pezuñas del koala.

variaciones

zorro de punto

véase el diseño básico de la página 74

zorro aromático

Introduzca un saquito de lavanda en la tripa del zorro antes de cerrarlo; tendrá un amiguito con un aroma relajante que acompañará a los pequeños en su descanso nocturno.

lobo de punto

Siga el mismo patrón que el usado para crear el zorro, pero utilice hilo gris para la cabeza, las orejas, el cuerpo y la cola. Sáltese las filas 4 y 22 del patrón de la cola para que le quede más estrecha. Emplee los mismos patrones de fieltro para la tripa y el hocico. Para confeccionar un lobo más grande con los tres cerditos (*véase* pág. 106), borde un círculo negro en la boca para imitar cómo sopla el lobo para derribar las casas.

mapache de punto

Emplee un hilo gris oscuro en lugar del Pomegranate. Corte una tira de fieltro negro de 1,25 cm para coserla sobre la zona de los ojos y otra de fieltro blanco de 0,5 cm, que coserá encima de los ojos (a modo de cejas). Aproveche el hocico blanco del patrón del zorro. Añada una tira blanca en la cola cambiando a B (Natural) para las vueltas 10-15.

ratón de punto

Use un hilo marrón claro y el patrón del zorro para crear un ratoncito. Omita el hocico de fieltro y corte unas orejas redondeadas de fieltro marrón claro, que deberá coser en la cabeza. Teja con ganchillo una cola de cadeneta de 10 cm con el mismo hilo marrón y cósala en lugar de la cola del zorro.

zorro más grande

Multiplique todas las cantidades y medidas por cuatro para confeccionar un zorro grande y blandito que los más pequeños podrán abrazar.

variaciones

cangrejo de tela

véase el diseño básico de la página 76

detalles de costura

Con un hilo de bordar de un color que combine con el de la tripa, borde una «solapa» con forma de campana en el estómago, con la parte más ancha hacia la parte inferior de cangrejo. Borde cuatro líneas en horizontal desde la solapa hacia las patas.

cangrejo de río

Con la plantilla para el cangrejo de río (derecha), confeccione el cuerpo siguiendo las mismas instrucciones que para hacer el cangrejo. Cosa y rellene el cuerpo, y también las patas y las pinzas.

langosta

Utilice los patrones para hacer las pinzas y las patas del cangrejo, y confecciónelas en tela. Teja un tubo para el cuerpo de la langosta de unos 25 cm de longitud y 23 cm de circunferencia. Rellénelo y una la cola en el extremo cerrado. Corte una cola con forma de abanico de tela roja, cósala y rellénela un poco. Cósala a mano junto con las patas y las pinzas. Añada los ojos negros y unas antenas de 15 cm de longitud.

marioneta de mano

Emplee tela del mismo color que la de la tripa y añada una bolsa a esta última que tenga un tamaño suficiente como para que quepa una mano. Cosa la bolsa antes de hacer lo mismo con las piezas del cangrejo.

cangrejo marioneta

Ate dos palitos cruzados para formar una X. Repita el proceso para obtener dos cruces (una para cada grupo de patas). Ate unas cuerdas a cada pata, a las pinzas y al cuerpo y únalas a los extremos de los palitos o péguelas con cola. ¡Ya puede dar vida a su cangrejo!

cuerpo del cangrejo de río (2)

Debe aumentarse como el cangrejo para conseguir el tamaño real.

variaciones

búho de ganchillo

véase el diseño básico de la página 79

cría de búho de fieltro (imagen)

Utilice un trozo de fibra de lana y trabájela ligeramente con aguja para formar un óvalo. Añada los ojos en el fieltro. Corte una pieza triangular amarilla para el pico y únala al cuerpo con la aguja. Corte dos alas de fieltro blanco y colóquelas a ambos lados del cuerpo; manipúlelas con la aguja.

búho marioneta de mano

Siga las instrucciones para crear el búho de ganchillo hasta la fila 16. Rompa el hilo y teja los extremos, pero no rellene el búho, ya que de esta manera podrá encajar en las manos de los más pequeños.

búhos para jugar a bolos

Teja seis búhos con ganchillo para formar un conjunto de bolos. Confeccione una bola de fieltro con aguja siguiendo las instrucciones del patrón de la página 48.

búhos de ganchillo en tres tamaños

Confeccione tres crías de búho siguiendo el patrón para el búho de ganchillo. Como en la variación de la marioneta de mano, deje de tejer en la fila 16. Siga los detalles para la cara y las alas. Para crear versiones mayores y menores del búho, utilice un hilo fino y el ganchillo correspondiente o bien un hilo más voluminoso y el ganchillo adecuado. Agrupe los tres búhos en un nido.

sonidos para dormir

Consiga la grabación de una nana o bien grabe sonidos relajantes e introdúzcalos mediante un chip de audio en el centro del búho. Rellene el búho hasta el fondo y ciérrelo: así tendrá un adorable amigo para la hora de dormir.

variaciones

saltamontes de tela

véase el diseño básico de la página 80

grillo
Siga el mismo patrón que para hacer un saltamontes, pero reduciéndolo a una cuarta parte. Utilice fieltro marrón chocolate y negro para confeccionar el grillo y aumente las antenas en 10 cm.

hábitat para el saltamontes
Necesitará un tarro de cristal de un tamaño suficiente que le permita introducir el saltamontes. Trabaje con fieltro y aguja un círculo que encaje en el fondo del tarro. Corte varias tiras de fieltro verde, de diferentes longitudes, de manera que se estrechen hasta acabar en punta: representarán la hierba. Colóquela en el tarro e introduzca el saltamontes en su nuevo hogar. Para los más pequeños, sustituya el tarro de cristal por una caja de cartón.

marioneta de palo
Introduzca un palito de bambú en la tripa del saltamontes para crear una marioneta de palo. Prepare un escenario e incluya hierba y árboles de papel en la base y los lados.

móvil de saltamontes
Utilice el patrón del saltamontes para confeccionar cinco piezas con tonos marrones, ocres y verdes más intensos a fin de añadir variedad. Siga las instrucciones para crear el móvil de pájaros de tela de la página 39. Añada unas hojas y hierba de fieltro a los palitos.

detalles bordados
Borde en el pespunte los detalles de las alas del saltamontes con un tono verde más claro. Cosa líneas horizontales siguiendo la tripa con un hilo más oscuro.

variaciones

estegosaurio de fieltro

véase el diseño básico de la página 83

móvil de dinosaurios

Trabaje con fieltro y aguja un estegosaurio, un brontosaurio y un t-rex (*véanse* págs. 92 y 68). Siga las instrucciones del estegosaurio para confeccionar los cuerpos. Para crear el brontosaurio, forme un tubo de 10 cm y trabájelo con la aguja para obtener el cuello. Forme una pequeña cabeza para incorporarla al cuello. Cubra las costuras con una capa de lana y añada los ojos con lana negra. Para crear el t-rex, alargue las patas 2,5 cm y forme los brazos con 2,5 cm de lana enrollada. Manipule 2,5 cm de fibra para el cuello y 4 cm para la cabeza, y vaya ensamblando las piezas con la aguja.

triceratops de fieltro con aguja

Siga las mismas instrucciones que para hacer el estegosaurio, pero omita las escamas del lomo. Para la cabeza, corte una solapa curvada de fieltro de 4 cm con un color que combine y cósala en la base del cuello. Corte unos cuernos puntiagudos de fieltro blanco, de 2,5 cm, y cósalos sobre la cabeza.

estegosaurio de ganchillo

Siga la primera sección del patrón para el brontosaurio de ganchillo de la página 92. Cuando llegue al cuello, continúe en pd en cada p alrededor en unos 7,5 cm para confeccionar la cabeza. Realice una lazada con el hilo a través de los puntos de la última fila y estire para cerrar. Haga un nudo para asegurar el hilo y oculte los extremos por dentro.

estegosaurio gigante

Multiplique todas las cantidades y medidas por diez para crear un estegosaurio gigante.

huevos de dinosaurio

Confeccione con fieltro y aguja siete huevos de 25 cm. Uno de los extremos debe ser más pequeño y más puntiagudo. Añada a los huevos manchas de diferentes tamaños.

variaciones

libélula de ganchillo

véase el diseño básico de la página 84

espécimen en caja expositora

Confeccione tres libélulas para colocarlas en una caja expositora o en un marco. Corte una lámina de tablero de corcho o de cartón pluma que encaje en el interior del marco. Cúbrala con una tela neutra y péguela con cola. Cuando esté seca, introdúzcala en el marco y sujete las libélulas con alfileres en su interior.

móvil de libélulas

Confeccione con ganchillo cinco libélulas con alas de diferentes colores y átelas a palitos para formar un móvil (como en el móvil de pájaros de tela, pág. 39).

mariposa

Confeccione el cuerpo con ganchillo como el cuerpo de la libélula, pero deténgase cuando tenga 7,5 cm tejidos. Rellene la pieza y cósala para cerrar. Para las alas, pd dos filas, cada una de 10 cm. Cree tres alas más, dóblelas por la mitad y cósalas en el centro del cuerpo. Confeccione dos antenas con fieltro negro y cósalas a la cabeza.

clip con libélula para el pelo

Reduzca el patrón de la libélula un 50%. Cósala al clip o utilice un adhesivo fuerte para pegarla.

imanes con libélulas

Confeccione con ganchillo varias libélulas con alas de diferentes colores y úselas para decorar imanes. Emplee imanes resistentes y redondos de 1,25 cm. Corte círculos de fieltro para coserlos en la parte posterior del cuerpo de cada libélula.

variaciones

pulpo de ganchillo

véase el diseño básico de la página 87

calamar

Corte dos láminas de fieltro de 20 cm de longitud y 10 cm de anchura que acaben en punta. Cósalas juntas y rellene la pieza resultante antes de cerrarla. Confeccione con ganchillo ocho tentáculos de 20 cm de longitud y cósalos a la base del calamar. Cosa unos ojos negros a cada lado de la sección central.

medusa

Confeccione con ganchillo la mitad del cuerpo del pulpo para obtener el cuerpo de una medusa. Utilice hilo rosa. Cree algunos tentáculos rectos con punto cadena y otros retorcidos siguiendo el patrón para la cola del cerdito de ganchillo (*véase* pág. 88). Cosa los tentáculos en el centro de la parte interior del cuerpo.

coral

Siga las instrucciones para hacer los tentáculos a fin de obtener un grupo de coral. Use hilo rojo y cree varios corales. Cosa algunos juntos por la base y unos cuantos que salgan de otros de mayor tamaño.

ventosas

Corte círculos de fieltro naranja de 0,5 cm de diámetro y cósalos en el interior de cada tentáculo para añadir los detalles de las ventosas.

pulpo sonajero

Introduzca un cascabel en la cabeza del pulpo antes de cerrarla. También puede añadir un plástico arrugado en el interior de los tentáculos para conseguir un efecto sonoro distinto.

variaciones

cerdito de ganchillo

véase el diseño básico de la página 88

cerditos besucones

Introduzca un imán potente en el interior del hocico del cerdito antes de cerrarlo. Cree otro cerdito e incorpore también un imán en el hocico. ¡Tendrá una pareja de cerditos besucones!

corderito de ganchillo (imagen)

Siga las mismas instrucciones que para hacer el cerdito, pero utilice hilo blanco para el cuerpo. Cambie a un hilo negro al final de la fila 17. Confeccione con ganchillo de hilo negro las orejas y sujételas a la cabeza de manera que apunten hacia abajo. Cree otra oreja y cósela en la parte posterior, a modo de cola. Teja las patas con hilo negro y cósalas al cuerpo. Con fibra de lana blanca, trabaje con aguja varias hebras alrededor del cuerpo.

vaca de ganchillo

Siga el mismo patrón que para hacer el cerdito, pero emplee hilo blanco para el cuerpo y las patas, rosa para el hocico y negro para las orejas. Corte el fieltro negro como si fueran manchas y cósalas de manera aleatoria sobre el cuerpo de la vaca.

los tres cerditos

Confeccione tres cerditos siguiendo el diseño básico y cree tres casitas con fieltro rígido (amarillo para la casita de paja, marrón para la de troncos y rojo para la de ladrillos). Para cada casa, corte cuatro cuadrados de 30 cm y un tejado de 35,5 cm (será plano). Con cola para tejido, añada detalles hechos con fieltro, como la paja, los troncos y los ladrillos, así como ventanas y puertas. No cosa las casas juntas. Cosa los lados de las casas y los tejados para que sean más resistentes.

lechón de fieltro con aguja

Para crear el cuerpo del lechón, utilice lana rosa y siga las instrucciones del patrón del estegosaurio (*véase* pág. 83). Enrolle una cabeza de fieltro de 2,5 cm y trabájela con aguja; sujétela al cuerpo. Manipule las patas del mismo modo que para hacer el estegosaurio, y añada una cola de 1,25 cm. Haga girar un poco de lana entre los dedos y dele forma con una aguja para fieltro a fin de crear las orejas. Agregue los ojos negros y dos pequeños círculos a modo de hocico.

oruga de punto

véase el diseño básico de la página 91

oruga lectora

Borde unas gafas negras redondas alrededor de los ojos de la oruga para convertirla en una amante de los libros.

mariposa convertible

Cosa un botón mediano en el centro posterior de la oruga. Corte dos alas de fieltro de 3 × 10 cm. Abra un ojal en cada ala para abotonarlas en el centro de la oruga y convertirla así en una mariposa.

lombriz de punto

Siga el mismo patrón que para hacer la oruga, pero utilice hilo marrón. Trabaje las filas 1-7 en pj, las filas 8-13 en pj revés, y continúe alternando cada seis filas entre pj y pj revés hasta el final.

babosa de fieltro con aguja

Para crear el cuerpo de la babosa, utilice fibra de lana verde y siga las mismas instrucciones que para hacer el estegosaurio de fieltro con aguja (*véase* pág. 83). Enrolle más lana alrededor de los extremos de la cabeza y la cola y manipule el fieltro con aguja hasta dejarlas uniformes. Corte dos antenas de fieltro de 2,5 cm y cósalas a la cabeza.

serpiente de punto

Empiece tejiendo con hilo verde las filas 1-4 del patrón para la oruga y continúe en pj durante 18 ps, hasta alcanzar 63,5 cm. Siga las instrucciones para reducir las filas 7-10. Corte una pieza de fieltro rojo de 7,5 cm a modo de lengua; realice un corte en V en el centro y cósala en la boca.

variaciones

brontosaurio de ganchillo

véase el diseño básico de la página 92

monstruo del lago Ness
Confeccione el brontosaurio, pero omita las patas. Corte cuatro aletas de fieltro, de 10 cm, con forma de hoja y cosa los detalles. Cósalas al cuerpo.

brontosaurio con ruedas
Pase dos clavijas de madera de 10 cm a través del cuerpo, donde irán las patas. Inserte cuatro ruedas de madera en las clavijas y asegúrelas para obtener un brontosaurio móvil.

brontosaurio con sonido
Introduzca un chip pregrabado o bien una grabación de su mejor rugido de brontosaurio dentro de la tripa del muñeco antes de cerrarlo.

brontosaurio de fiesta
Cosa una minipajarita de fieltro en el cuello del brontosaurio, justo por debajo de la cabeza. Confeccione un sombrero de fiesta con forma de cono, también de fieltro, y añada una goma para colocárselo en la cabeza del muñeco. Añada lunares o pompones de fieltro al sombrero. ¡Su brontosaurio está listo para la fiesta!

hábitat para un dinosaurio
Prepare una alfombra de juego, que mida 50 × 50 cm y sea de fieltro, para convertirla en el hábitat de su dinosaurio. Corte una pieza irregular de 20 × 25 cm, de color azul, a modo de estanque, y haga también un volcán de 20 × 20 cm. Añada tiras de hierba y palmeras de fieltro, que puede sujetar con clavijas por dentro.

variaciones

patito de punto

véase el diseño básico de la página 94

patito con ruedas

Introduzca dos clavijas de madera de 7,5 cm a través de la parte delantera y trasera inferiores del pato. Inserte ruedas de madera en las clavijas y ate una cuerda al cuello del patito para poder tirar de él.

crías de pato

Confeccione tres patitos y átelos juntos con hilo para crear una fila que acompañará al patito con ruedas.

oca de punto

Para confeccionar una oca, siga las instrucciones del patrón para el patito. Utilice hilo marrón claro para el cuerpo y negro para la cabeza. Haga el pico con lana negra. Para el cuello, M 8 ps con hilo negro y trabaje en pj a lo largo de 4 cm. Cosa los lados para cerrarlos de modo que formen un tubo para el cuello. Cóselo al cuerpo, rellénelo y cosa la cabeza encima.

paño con patito

Siga el patrón del patito para hacer la cabeza; utilice hilo de algodón. Confeccione el pico tejiendo 3 ps con hilo naranja y 8 filas en pj. Doble el pico por la mitad, a lo largo; cosa los lados y cóselo en la cara. Cree una toalla de 12,5 cm con p de liga y cosa la cabeza de pato en una esquina.

patitos-pelota

Confeccione cinco patitos y rellene los cuerpos con alubias antes de cerrarlos. Formarán un fantástico conjunto de pelotas con las que podrá jugar.

comida de juguete

Las comida de este capítulo es la excepción
a la regla: ¡está permitido jugar con ella!
Se incluyen frutas y verduras básicas, además
de algunos sabrosos caprichos. Son perfectos
para las meriendas entre peluches.

manzana de punto

véanse variaciones en la página 127

materiales

- hilo: Brown Sheep
  Shepherd's Shades
  (100% lana, 100 g, 120 m),
  1 ovillo de Fire
- fieltro de lana de color
  marrón chocolate y verde
  oliva
- adp de 6 mm
- marcador de puntos
- relleno
- alubias
- aguja de tapicería
- aguja de coser
- hilo de bordar marrón
  y verde

tensión: 4,5 ps en 6 filas
= 2,5 cm

dimensiones finales: 6,5 cm
de diámetro; 9 cm de altura

instrucciones

manzana

M 8 ps y dividir entre 3adp, colocar
el marcador y unir en redondo.

V1 y todas las filas impares: tpd.

V2: [tpd1, 1adr], rep hasta el final
– 16 ps.

V4: [tpd2, 1adr], rep hasta el final
– 24 ps.

V6: [tpd3, 1adr], rep hasta el final
– 32 ps.

V7-11: tpd.

V12: [tpd6, 2pdj], rep hasta el final
– 28 ps.

V14: [tpd5, 2pdj], rep hasta el final
– 24 ps.

V16: [tpd4, 2pdj], rep hasta el final
– 20 ps. Empiece a rellenar y
continúe hasta el final.

V18: [tpd3, 2pdj], rep hasta el final
– 16 ps.

V20: [tpd2, 2pdj], rep hasta el final
– 12 ps.

V21: [tpd1, 2pdj], rep hasta el final
– 8 ps.

Añada las judías para aportar peso
antes de cerrar la pieza. Rompa el
hilo, pero deje suficiente cantidad
para tirar de él desde abajo hasta
la parte superior de la manzana.

Enhebre la aguja de tapicería y estire
de manera que la parte inferior
se arrugue un poco; lleve el hilo
hasta la parte superior y de nuevo
hacia abajo para que ambos
extremos se arruguen ligeramente.
Asegure el hilo en la parte inferior
de la manzana.

pedúnculo

Corte una tira de fieltro de
lana marrón de 4 cm de longitud
y 1,5 cm de anchura. Dóblela por
la mitad a lo largo y cósala en la
parte superior de la manzana.

hojas

Calque dos hojas de fieltro verde
y córtelas. Cosa con punto corrido
en el centro de cada hoja con un
hilo verde más oscuro. Cosa las hojas
a la base del pedúnculo.

**Debe aumentarse un 200%
para conseguir el tamaño real.**

hoja de
manzana (2)

plátano de tela y ganchillo

véanse variaciones en la página 128

materiales

- hilo: Brown Sheep Cotton Fleece (80% algodón, 20% lana merino, 100 g, 196 m), 1 ovillo de Truffle
- tela: Robert Kaufman Kona Cotton (100% algodón), 25 cm de Buttercup
- papel de calcar
- alfileres de costura
- aguja de coser
- hilo de coser amarillo y marrón
- máquina de coser (opcional)
- relleno
- ganchillo de 4 mm

dimensiones finales: 21,5 cm de longitud; 4,5 cm de anchura; 5 cm de altura

instrucciones

plátano

Calque todas las piezas del patrón en la tela de algodón y recórtelas. Sujete los extremos con alfileres, de uno en uno, con los lados derechos juntos; cosa las piezas. Para alinear bien los bordes curvados, le resultará más fácil si empieza sujetando con alfileres ambos extremos del plátano y después el centro.

Cuando termine de coser todos los bordes, practique pequeños cortes en V siguiendo el borde de la costura y con cuidado de no cortar demasiado cerca de esta. Le ayudará a alisar las curvas y a evitar que las costuras se arruguen cuando le dé la vuelta al plátano para rellenarlo.

extremos

Superior: con hilo Truffle, teja 6 pd en un anillo mágico, 1pst para unir, cd 1 y pd en los 6 ps siguientes. Rompa el hilo, ate y cosa en el extremo del plátano.

Inferior: con hilo Truffle, teja 6 pd en un anillo mágico, 1pst.

V1: cd 1 [2 pd en el siguiente p], rep 5 veces más, 1pst, girar – 12 ps.
V2-4: cd 1, pd en los 12 ps siguientes, 1pst.
Rompa el hilo, ate y teja los extremos. Una con hilo de coser al extremo del plátano.

Debe aumentarse un 480% para conseguir el tamaño real.

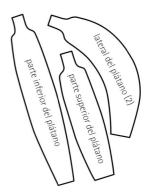

lateral del plátano (2)

parte inferior del plátano

parte superior del plátano

zanahoria de ganchillo

véanse variaciones en la página 129

materiales

- hilo: Brown Sheep Lamb's Pride Worsted (85% lana, 15% mohair, 100 g, 175 m), 1 ovillo de Autumn Harvest
- fieltro de lana de color verde oliva
- ganchillo de 5 mm
- relleno
- aguja de tapicería
- papel de calcar
- aguja de coser
- hilo de bordar de color verde oliva

tensión: 4,5 ps en 5 filas = 2,5 cm
dimensiones finales: 16,5 cm de longitud; 4,5 cm de anchura

instrucciones

Pc 6 y 1pst en el primer pd para unir en un anillo. Para este patrón, pd solo en la vuelta delantera.

V1: pd en las 6 pc siguientes, 1pst.

V2: pc 1, 2 pd en cada p, 1pst – 12 pd.

V3: [1 pd, 2 pd en el siguiente p] 6 veces – 18 pd.

V4: [2 pd, 2 pd en el siguiente p] 6 veces, 1pst – 24 pd.

V5–20: pc 1, 1pst. Empiece a rellenar y continúe hasta el final.

V21: pd en los 11 ps siguientes, s 1 p, pd en los 11 ps siguientes, s 1 p, 1pst – 22 pd.

V22: pd en los 10 ps siguientes, s 1 p, pd en los 10 ps siguientes, s 1 p, 1pst – 20 pd.

V23: pd en los 9 ps siguientes, s 1 p, pd en los 9 ps siguientes, s 1 p, 1pst – 18 pd.

V24: pd en los 8 ps siguientes, s 1 p,

pd en los 8 ps siguientes, s 1 p, 1pst – 16 pd.

V25: pd en los 7 ps siguientes, s 1 p, pd en los 7 ps siguientes, s 1 p, 1pst – 14 pd.

V26: pd en los 6 ps siguientes, s 1 p, pd en los 6 ps siguientes, s 1 p, 1pst – 12 pd.

V27: pd en los 5 ps siguientes, s 1, pd en los 5 ps siguientes, s 1, 1pst – 10 pd.

V28: pd en los 4 ps siguientes, s 1 p, pd en los 4 ps siguientes, s 1 p, 1pst – 8 pd.

V29: pd en los 3 ps siguientes, s 1 p, pd en los 3 ps siguientes, s 1 p, 1pst – 6 pd.

hojas

Calque dos hojas de fieltro verde y córtelas. Cósalas en la parte superior de la zanahoria.

Debe aumentarse un 120% para conseguir el tamaño real.

hoja de la zanahoria (2)

coliflor de fieltro con aguja véanse variaciones en la página 130

materiales

- fibra de lana blanca, 15 g
- aguja para fieltro de tamaño 38
- almohadilla de espuma para trabajar fieltro con aguja
- fieltro de color verde oliva

dimensiones finales: 5 cm de diámetro; 3 cm de altura

Debe aumentarse un 130% para conseguir el tamaño real.

instrucciones

Tome suficiente fibra blanca como para formar una bola de 5-6 cm; vaya metiendo los lados a medida que la trabaja a fin de conseguir una forma redondeada. Forme un rollo apretado y sujete los extremos juntos.

Coloque la pieza sobre la almohadilla de espuma y sujétela con los dedos índice y pulgar, a ambos lados, de manera que quede despejada una parte para trabajarla con aguja. Pinche el centro de la bola y continúe por toda la pieza, girándola una y otra vez. Manipule la fibra hasta que se mantenga unida, pero evite que quede demasiado apretada. Para crear los cogollitos, trabaje con la aguja un pequeño círculo irregular sobre la coliflor. Continúe pinchando la fibra en torno al cogollito y pasando la aguja por encima hasta que vea una «línea» definida y se formen cogollitos en toda la coliflor.

Calque las hojas de fieltro y córtelas. Ponga la coliflor boca abajo y coloque la pieza más pequeña en la base; a continuación, disponga las hojas más grandes encima. Trabaje con fieltro las tres piezas para unirlas en torno a la base. Gire la coliflor y acerque más las hojas al centro con la aguja. Dóblelas un poco para conferirles un aspecto orgánico.

hoja interior

hoja exterior

cupcake de punto

véanse variaciones en la página 131

materiales

- hilo: Brown Sheep Nature Spun Worsted (100% lana, 100 g, 224 m), 1 ovillo de (A) Impasse Yellow, (B) Natural; sobras de hilos de diferentes colores
- adp de 4 y 4,5 mm
- marcador de puntos
- alubias
- relleno
- aguja de tapicería
- fibra de lana roja
- aguja para fieltro de tamaño 38
- almohadilla de espuma para trabajar fieltro con aguja

tensión (4,5 mm): 5 ps en 7 filas = 2,5 cm
tensión (4 mm): 6 ps en 8 filas = 2,5 cm (ligeramente estirado)
dimensiones finales: 6,5 cm de diámetro; 6 cm de altura

instrucciones

base

Con A y las adp de 4,5 mm, M 8 ps, dividir en 3 adp, y unir en redondo. Utilizar los puntos montados a modo de guía para el final del tejido en redondo.

V1: tpd.
V2: pdr en cada p hasta el final – 16 ps.
V3-5: tpd.
V6: rep fila 2 – 32 ps.
V7-16: cambiar a adp de 4 mm y [tpd1, pr1], rep hasta el final.
V17: cambiar a adp de 4,5 mm y a B, y [tpd4, 1adr], rep 8 veces – 40 ps.
V18-19: tpd.
V20: [tpd8, 2pdj], rep hasta el final – 36 ps.
V21: [tpd7, 2pdj], rep hasta el final – 32 ps.
V22: [tpd6, 2pdj], rep hasta el final – 28 ps.
V23: [tpd5, 2pdj], rep hasta el final – 24 ps.
Coloque las alubias en la base para aportar peso y empiece a rellenar. Continúe rellenando hasta el final.
V24: [tpd4, 2pdj], rep hasta el final – 20 ps.
V25: [tpd3, 2pdj], rep hasta el final – 16 ps.
V26: [tpd2, 2pdj], rep hasta el final – 12 ps.
V27: [tpd1, 2pdj], rep hasta el final – 8 ps.

Rompa el hilo y páselo por los 8 ps restantes para cerrar. Haga nudos en los restos de hilo de colores variados, de uno a uno, encima del punto donde acaba de cerrar la pieza, y realice pequeñas puntadas en la parte blanca del *cupcake*. Oculte los extremos dentro del tejido. Trabaje con aguja una bola de fieltro rojo a modo de guinda, que además tapará los nudos de la decoración de colores. Dé forma al *cupcake* con las manos para que la base se estreche un poco y la unión entre el hilo amarillo y el blanco sobresalga.

huevos con beicon

véanse variaciones en la página 132

véanse variaciones en la página 132

materiales

- hilo: Brown Sheep Nature Spun Worsted (100% lana, 100 g, 224 m), 1 ovillo de (A) Natural, (B) Impasse Yellow
- fieltro rojo y blanco
- cartulina
- alfileres de costura
- ganchillo de 4 mm
- rotulador para tejidos
- hilo de coser blanco
- aguja de coser
- relleno

dimensiones finales (beicon):

19 cm de longitud; 5 cm de anchura; 1,25 cm de altura **(huevo):** 10 cm de longitud; 6,5 cm de anchura; 2 cm de altura

**Debe aumentarse un 450%
para conseguir el tamaño real.**

instrucciones

beicon

Calque el beicon y corte el patrón en fieltro rojo. Con el hilo A, cd 21,5 cm, aproximadamente. Realice dos cadenetas para representar la grasa del beicon. Sujételas con alfileres en una de las piezas de fieltro siguiendo la línea ondulada de la grasa. Cosa las cadenetas por el centro para que queden bien unidas.

Sujete las piezas de fieltro con alfileres, con los lados del revés juntos, y cósalas dejando abierto el extremo inferior. Rellene un poco la pieza y ciérrela. Repita el proceso para la otra pieza de beicon.

huevos

Trace y corte el huevo en fieltro blanco.

Con el hilo B, confeccione 6 pd en un anillo mágico y 1 pst para unir.

V1: pc 1, 2 pd en cada p alrededor, 1pst – 12 pd.

V2: pc1, [1 pd, 2 pd en el siguiente p] 5 veces más, 1pst – 18 pd. Rompa el hilo, ate y teja los extremos.

Sujete la yema con alfileres a una de las piezas blancas y cósala. Sujete con alfileres las dos piezas de fieltro blanco, con los lados del revés juntos, y cósalas dejando una abertura de 4 cm, aproximadamente. Rellene ligeramente y cosa para cerrar. Repita el proceso con el segundo huevo.

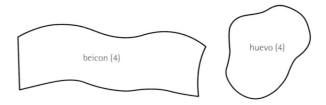

beicon (4)

huevo (4)

sushi de punto

véanse variaciones en la página 133

materiales

- hilo: Brown Sheep Nature Spun Worsted (100 % lana, 100 g, 224 m), 1 ovillo de (A) Pepper, (B) Natural, (C) French Clay; Brown Sheep Shepherd's Shades (100 % lana, 100 g, 120 m), 1 ovillo de (D) Sunshine
- fieltro de lana negro
- adp de 4,5 mm
- relleno
- aguja de tapicería
- agujas de punto de 6,5 mm
- hilo de coser negro

tensión (agujas de 4,5 mm):
5 ps en 6 filas = 2,5 cm
tensión (agujas de 6,5 mm):
4 ps en 5 filas = 2,5 cm
dimensiones finales
(rollito *maki* de salmón):
5 cm de diámetro; 4 cm de altura
(*tamago nigiri*): 9 cm de longitud;
5,5 cm de anchura; 4 cm de altura

instrucciones

rollito *maki* de salmón

Con las adp de 4,5 mm y C,
M 6 ps, divida entre 3 adp y una
en redondo. Utilice los puntos
montados en el extremo a modo
de guía para la unión en redondo.
V1: tpd.
V2: pdr en cada p hasta el final
– 12 ps.
V3: tpd.
Cambie a B.
V4-5: tpd.
V6: pdr en cada p hasta el final
– 24 ps. Cambie a A.
V7-18: tpd.
V19-20: cambie a B y tpd.
V21: 2pdj hasta el final – 12 ps.
Empiece a rellenar y continúe
hasta el final.
V22: cambie a C y tpd.
V23: 2pdj hasta el final – 6 ps.
V24: rompa el hilo y tire a través
de los 6 ps cerrados. Si el otro
extremo del salmón parece inflado,
tire del hilo a través del centro
hasta ese extremo, realice una
pequeña lazada y tire de nuevo
hasta el extremo original. Ate
y oculte los extremos entre los
puntos.

tamago nigiri

Con las agujas de 4,5 mm y B,
M 12 ps y teja en pj hasta tener
18 cm. R y doble por la mitad de
manera que quede un rectángulo
de 9 × 5 cm. Cosa los bordes
con punto colchonero y rellene
inmediatamente antes de cerrar.
Teja los extremos. Con las agujas
de 6,5 mm y D, M 8 ps y teja
en p de liga hasta tener 7,5 cm.
R dejando suficiente cantidad
para coser sobre el arroz.
Corte una tira de fieltro negro
de 2,5 cm y cósala alrededor del
centro del *sashimi*.

pizza de ganchillo

véanse variaciones en la página 134

materiales

- hilo: Brown Sheep Nature Spun Worsted (100% lana, 100 g, 224 m), 1 ovillo de (A) Saddle Tan, (B) Red Fox
- ganchillo de 4 mm
- aguja de tapicería
- fieltro blanco y verde
- hilo de bordar verde
- aguja de coser
- cola para tejido

tensión: 5 ps en 6 filas = 2,5 cm
dimensiones finales: 18 cm de longitud; 19,5 cm de altura; 1,25 cm de anchura

Debe aumentarse un 200% para conseguir el tamaño real.

instrucciones

base

Con A, cd 41.
F1-7: pd en la segunda cd desde el ganchillo, pd en cada p, cd 1, girar – 40 pd.
F8-47: pd2j, pd en cada p, pc 1, girar.
F48: pd2j.
Rompa el hilo, ate y teja los extremos.

salsa de tomate

Con B, cd 41.
F1: pd en la segunda cd desde el ganchillo, pd en cada p, cd 1, girar – 40 pd.
F2-40: pd2j, pd en cada p, cd 1, girar.
Rompa el hilo y ate de manera que quede suficiente cantidad para coser. Bloquee la base y la salsa para que queden planas.

guarnición

Calque tres óvalos blancos a modo de mozzarella y dos hojas de albahaca y córtelos. Cosa las venas de las hojas con un hilo que combine.

montaje

Coloque la capa de salsa sobre la base e hilvane los triángulos. Cosa con punto de festón siguiendo los bordes con el hilo rojo. Doble la sección tostada sobre la salsa roja para crear el borde de la masa y cosa los lados y la línea del borde con hilo tostado. Teja los extremos. Acabe pegando con cola los complementos sobre la pieza roja.

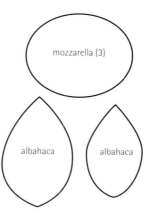

mozzarella (3)

albahaca

albahaca

rosquilla de ganchillo

véanse variaciones en la página 135

materiales

- hilo: Brown Sheep
  Shepherd's Shades
  (100 % lana, 100 g, 120 m),
  1 ovillo de (A) Chestnut,
  (B) Rose Petal
- ganchillo de 6 mm
- aguja de tapicería
- hilo rosa y blanco para
  adornar
- relleno

tensión: 4 ps en 4,5 filas
= 2,5 cm

dimensiones finales: 9,5 cm
de diámetro; 4 cm de altura

instrucciones

Con A, cd 21 y 1pst en el primer pd
para unir, cd 1.

V1: empiece en el 2.º desde el
ganchillo, pd en las 20 cd siguientes,
1pst en el primer pd para unir.

V2: cd 1, [pd en el siguiente p, 2 pd
en el siguiente p] 10 veces, 1pst en
el primer pd para unir – 30 pd.

V3: cd 1, [pd en los 2 ps siguientes,
2 pd en el siguiente p] 10 veces, 1pst
en el primer pd para unir – 40 pd.

V4–8: cd 1, pd en los 40 ps siguientes,
1pst en el primer pd para unir.

V9: cd 1, pd en los 40 ps siguientes,
1pst en el primer pd para unir. Ate A,
una B.

V10–13: cd 1, pd en los 40 ps
siguientes, 1pst en el primer pd
para unir.

V14: cd 1, [pd en los 2 ps siguientes,
pd2j] 10 veces, 1pst en el primer pd
para unir – 30 pd.

V15: cd 1, [pd en el siguiente p, pd2j]
10 veces, 1pst en el primer pd para
unir – 20 pd.

Rompa el hilo, pero de modo que quede
suficiente para coser. Con la aguja de
tapicería, cosa los adornos en hilo
rosa y blanco sobre el glaseado rosa.
Teja los extremos. Cosa los bordes
para formar el aro y rellene a medida
que avanza. Continúe rellenando
hasta cerrar la rosquilla.

variaciones

manzana de punto

véase el diseño básico de la página 111

naranja con fieltro y aguja (imagen)
Siga las instrucciones para la pelota de la página 48. Utilice los patrones del pedúnculo y de las hojas de la manzana, y cósalas a la naranja.

pera de punto
Use hilo verde y siga el patrón para la manzana; incluya la fila 15. Trabaje 4 filas y continúe con las filas 16-21. Corte el pedúnculo y las hojas y cósalos a la pera.

melocotón de fieltro con aguja
Siga las mismas instrucciones que para hacer la pelota de fieltro de la página 48, pero emplee diferentes tonos de naranja (de claro a oscuro) en torno al melocotón. Para el pliegue, trabaje con la aguja hacia atrás y adelante en una línea. Manipule la parte inferior para que acabe en punta redondeada. Corte el pedúnculo y las hojas y cósalos.

manzana aromática
Introduzca un saquito de pachulí con aroma a manzana en el centro de la fruta.

tomate de punto
Utilice el patrón de la manzana de punto para confeccionar un tomate. Corte cinco hojas de fieltro verde de 2,5 cm y colóquelas alrededor del tomate, como si salieran del pedúnculo (también de fieltro verde).

variaciones

plátano de tela y ganchillo

véase el diseño básico de la página 112

plátano pelado

Reduzca el patrón del plátano de manera que mida 1,25 cm menos en todo su contorno. Calque el patrón en una tela de color crema y redondee los dos extremos. Cosa el plátano; antes de cerrarlo, rellénelo. Calque en tela amarilla dos piezas del patrón para confeccionar la piel del plátano y córtelas. Cosa cada par de piezas juntas, y estas a las cuatro esquinas del plátano hasta la mitad. Introduzca el plátano en la cáscara.

banana *split*

Redondee los extremos del plátano para confeccionar la fruta y corte dos piezas de cada panel lateral. Cosa y rellene esos lados por separado para representar un banana *split*. Teja con ganchillo tres bolas de helado (chocolate, fresa y vainilla) siguiendo las instrucciones para hacer el pulpo de ganchillo de la página 87. Corte gotas grandes de «chocolate caliente» de fieltro marrón y prepare una guinda con fieltro con aguja para coronar el postre.

plátano-bolsa con cremallera

Cosa una cremallera en uno de los bordes superiores antes de coser el resto de las piezas. Corte unas cuantas formas de mono de fieltro de 4 cm y borde los detalles de las caras en cada pieza. Cubra la bolsa con los monitos.

racimo de plátanos

Confeccione cinco plátanos e introduzca un imán en la parte superior de cada pieza. Así se mantendrán unidos y formarán un racimo. Asegúrese de que los imanes se quedan en la posición apropiada para que los plátanos se «peguen» correctamente.

mural con alfabeto

Utilice el lado curvado del plátano para hacer una letra P bidimensional (para un mural con alfabeto). Confeccione una manzana para la M, una zanahoria para la Z, etcétera.

zanahoria de ganchillo

véase el diseño básico de la página 115

rábano blanco de ganchillo (imagen)

Con hilo blanco, siga el patrón para hacer la zanahoria. Corte el patrón de las hojas de fieltro y cósalas en la parte superior del rábano.

rábano de fieltro con aguja

Con fibra de lana roja, siga las instrucciones para hacer la pelota de fieltro con aguja de la página 48 y obtendrá un rábano de 5 cm de diámetro. Trabaje la parte inferior de manera que acabe en punta y añada lana blanca alrededor. Corte una hebra de hilo blanco de 7,5 cm y una un extremo a la punta para imitar la raíz del rábano. Utilice el patrón de las hojas de la zanahoria para crear el pedúnculo.

nabo de ganchillo

Siga el patrón para la zanahoria, pero omita las vueltas 7-20. Empiece con un hilo violeta y cambie a blanco en la mitad. Corte algunas hojas de fieltro y cósalas en la parte superior.

zanahoria para un conejo

Reduzca la zanahoria a la mitad tanto en anchura como en longitud para complementar al conejito de la página 67. Reduzca las hojas un 50%; córtelas y cósalas a la zanahoria.

zanahorias mini de fieltro con aguja

Utilice fibra de lana naranja para confeccionar zanahorias mini de 5 cm. Forme tubos con la lana (un poco más grandes que el tamaño final) y trabájelos con la aguja hasta conseguir redondear los extremos. Uno de ellos debe ser más pequeño que el otro. Una las zanahorias con la aguja para formar un manojo.

variaciones

coliflor de fieltro con aguja

véase el diseño básico de la página 116

brócoli de fieltro con aguja

Para la cabeza del brócoli, utilice lana de color verde oscuro y siga el mismo patrón que para hacer la coliflor. Con un hilo de un color similar, realice pequeños nudos franceses en todo el brócoli para crear una textura. Forme un tubo de 2,5 cm de una lana verde más clara y trabájelo para convertirlo en un pedúnculo. Sujételo a la base de la cabeza del brócoli.

coliflor más grande

Aumente todas las cantidades y medidas por cuatro para confeccionar una coliflor de tamaño real, que podrá añadir a su colección de frutas y verduras tejidas.

coles de Bruselas

Trabaje con fieltro y aguja una col de Bruselas de tamaño real. Forme una bola de fieltro del mismo tamaño que la coliflor con lana de color verde intenso. Represente las venas de las hojas con un verde más claro o amarillo. Confeccione unas cuantas coles para componer un grupo.

brócoli morado

Trabaje con fieltro y aguja un exótico brócoli morado. Añada más detalles de textura realizando pequeños nudos franceses repartidos por la cabeza; utilice para ello un hilo morado que combine con la fibra de lana empleada.

ramo de flores

Confeccione ocho o diez cabezas de coliflor y agregue alambre o un limpiapipas a la base para componer un ramo de flores. Envuelva el alambre con fieltro de color verde oliva y aplique una gota de cola en los extremos para asegurarlo.

variaciones

cupcake de punto

véase el diseño básico de la página 119

minitarta de queso

Siga el patrón para el *cupcake* hasta el final de la parte acanalada y remate. Corte un círculo de fieltro amarillo con el mismo diámetro que la parte superior del pastel; rellénelo y cósalo. Confeccione tres guindas con fieltro y aguja y cósalas en la parte superior de la minitarta.

muffin de arándanos

Siga el patrón para el *cupcake*, pero utilice hilo marrón claro. Corte círculos de fieltro azul oscuro de 0,5 cm y cosa los arándanos de manera aleatoria en el *muffin*. Añada algunas puntadas blancas a modo de azúcar de lustre.

pastelito de crema

Use fibra de lana beis y blanca para crear un pastelito de crema esponjoso. Forme una bola de manera que la parte superior quede en punta. Añada lana blanca alrededor del centro para representar la crema y trabájela con la aguja. Incorpore algunas puntadas blancas con hilo repartidas por la parte superior a modo de azúcar de lustre.

pastelito de kiwi

Siga las mismas instrucciones que para hacer la minitarta de queso con hilo y fieltro de color amarillo claro. Corte cuatro círculos de fieltro verde de 4 cm (las rodajas de kiwi). Con hilo negro, cosa los detalles de las semillas en el centro de cada rodaja. Dispóngalas en la parte superior del pastelito y únalas con la aguja al resto del material.

tarta de chocolate

Corte dos círculos de 15 cm de diámetro (la parte superior y la inferior) y una pieza de 10 × 50 cm para la sección central, todo ello en fieltro marrón. Cosa las piezas para formar la tarta. Con fieltro y aguja, añada el glaseado en la parte superior de la tarta. Corte pétalos de fieltro rosa de 4 cm; utilice unos ocho pétalos por flor y confeccione tres flores. Corte hojas verdes de 5 cm para adornar las flores y cóselo todo en forma de ramillete sobre la tarta.

variaciones

huevos con beicon

véase el diseño básico de la página 120

tostadas

Corte cuatro cuadrados de 15 cm de fieltro beis y practique unos pequeños cortes cerca de la parte superior para indicar la forma del pan. Corte dos cuadrados de fieltro amarillo, de 5 cm, a modo de mantequilla y cósalos en un lado de cada tostada. Cosa las dos piezas de fieltro marrón para obtener dos rebanadas de pan tostado con mantequilla y rellénelas.

salchichas de fieltro

Corte cuatro salchichas de 1 × 10 cm con los extremos redondeados; utilice fieltro marrón claro. Cosa y rellene dos piezas de fieltro a fin de obtener dos salchichas para el desayuno.

zumo de naranja de punto

Con hilo naranja, siga las líneas 1-6 del *cupcake* de punto (*véase* pág. 119). Trabaje 10 cm en naranja y cambie a blanco; continúe a lo largo de 2,5 cm más. En la siguiente vuelta, 2pdj hasta el final. Trabaje tres vueltas; siguiente vuelta 2pdj, teja una v, R y teja los extremos. Introduzca alubias y el relleno antes de cerrar la pieza.

plato de ganchillo

Confeccione el plato con el color de hilo que prefiera. Cd 2. V1: 6 pd en la 2.º cd desde el ganchillo, 1pst para unir. V2: cd 1, 2 pd en cada p, 1pst – 12 ps. V3: cd 1, [pd en el siguiente p, 2 pd en el siguiente p], 1pst – 18 ps. V4: cd 1, [pd en los 2 ps siguientes, 2 pd en el siguiente p], 1pst – 24 ps. Continúe como se indica (pd en los 3 ps siguientes, 4 ps, 5 ps, etcétera, para cada fila antes de montar 2 pd en el siguiente p). Aumentará en 6 ps cada fila para confeccionar un círculo. Continúe hasta crear un plato de 30 cm de diámetro.

cuchillo y tenedor

Corte dos piezas de fieltro gris de 4 × 18 cm para confeccionar un cuchillo de untar. Redondee los extremos y cosa una línea horizontal por la mitad para señalar el mango. Corte dos piezas de fieltro gris de 5 × 18 cm para confeccionar un tenedor. Reduzca a 4 cm la parte del mango. Cosa y rellene las piezas. En el tenedor, represente los detalles con hilo blanco.

variaciones

sushi de punto

véase el diseño básico de la página 123

rollito California
Confeccione un rollito *maki* de pepino sustituyendo el hilo salmón por uno verde claro. Cree un rollito California siguiendo el patrón del rollito de salmón, pero con hilo blanco. Corte dos cuadrados de 1,25 cm de fieltro rosa, verde claro, verde medio y amarillo. Superponga las piezas para formar un cuadrado y cósalas en el centro del rollito California. Añada pequeñas puntadas por fuera del rollito con hilo negro a modo de semillas de sésamo.

nigiri de salmón (imagen)
Para crear un *nigiri* de salmón, siga el mismo patrón que para hacer el tamago, pero utilizando hilo rosa en lugar del amarillo. Borde líneas diagonales sobre el salmón con hilo blanco. Confeccione una rodaja de atún con un hilo rosa oscuro y siga el patrón del *tamago* para obtener un *nigiri* de atún.

sushi temaki
Corte un cuadrado de fieltro negro de 15 cm. Forme un cono y cóselo por el borde para mantenerlo cerrado. Corte dos capas de rodajas de pepino, aguacate, zanahoria y *tamago*, todo de fieltro. Cosa ambas capas de cada ingrediente y rellene con ellos el cono. Dé algunas puntadas con hilo negro para mantener fijos los ingredientes.

palillos chinos
Corte cuatro piezas de fieltro de 1,25 × 25 cm. Cosa las piezas de dos en dos con puntada vista para obtener dos palillos chinos. Introduzca dentro un alambre y cubra los extremos antes de cerrarlos.

wasabi y jengibre encurtido
Para confeccionar una ración de *wasabi*, utilice hilo verde y cd 10. Gire y comience en la 2.º desde el ganchillo; 2 pd en cada p. Obtendrá un *wasabi* verde ondulado. Para el jengibre encurtido, corte óvalos de fieltro rosa de 4 cm. Apile cinco o más piezas, aplástelas un poco y cósalas con unas cuantas puntadas para mantenerlas unidas.

variaciones

pizza de ganchillo

véase el diseño básico de la página 124

pizza entera

Confeccione ocho porciones de pizza para obtener una pizza entera. Utilice fieltro blanco rígido para crear una caja de pizza de 46 cm de anchura por 5 cm de altura. Cosa a mano los bordes. Recorte la palabra «pizza» en fieltro rojo y péguela sobre la tapa de la caja.

guarniciones de pizza de fieltro

Corte círculos de fieltro rojo de 5 cm de diámetro a modo de *pepperoni* y péguelos con cola sobre la pizza. Corte círculos de fieltro de color blanco roto, de 5 cm de diámetro, y péguelos también encima; serán los champiñones. Calque la plantilla ovalada de la mozzarella sobre fieltro rosa y córtela para obtener trozos de jamón cocido. También puede añadir triángulos de fieltro amarillo a modo de piña para preparar una pizza tropical.

queso

Para crear un triángulo de queso, siga el patrón para la base de la pizza y la salsa de tomate y utilice hilo amarillo. Corte círculos negros de diferentes tamaños y péguelos sobre el queso para representar los agujeros. Acompáñelo con el ratón de la página 99: ¡se pondrá muy contento!

tarta de lima

Siga el mismo patrón que para hacer la base de la pizza, pero use hilo verde lima en lugar del patrón de la salsa de tomate para confeccionar el relleno. Teja con ganchillo dos tiras laterales rectangulares de 5 × 40 cm en verde lima para crear la altura de la tarta. Gire la base hacia arriba y cosa el triángulo verde y la tira lateral juntos; rellene antes de cerrar. Con fieltro con aguja, cree un chorro de crema de leche, que coserá encima. Para representar una rodaja de lima de adorno, corte un círculo de fieltro verde menta de 5 cm de diámetro. Borde una línea en verde oscuro alrededor del círculo a modo de cáscara de lima y utilice hilo blanco para crear la textura de la lima.

rosquilla de ganchillo

véase el diseño básico de la página 126

rosquilla con azúcar de lustre
Siga el mismo patrón que para hacer la rosquilla, pero utilice hilo blanco. Añada pequeñas puntadas con hilo blanco en toda la rosquilla para conseguir la textura del azúcar de lustre.

pepito de chocolate
Corte dos piezas de fieltro de 7,5 × 18 cm, la de abajo beis y la de arriba marrón. Cósalas y rellénelas para obtener un pepito de chocolate.

brownie
Confeccione con agujas de punto dos rectángulos de 10 × 7,5 cm y una tira de 4 × 35,5 cm utilizando hilo marrón. Cosa las piezas para obtener un *brownie*. Dé unas puntadas con hilo marrón claro y una aguja de tapicería sobre el *brownie* a modo de caramelo.

galleta con pepitas de chocolate
Corte dos círculos de fieltro beis de 7,5 cm de diámetro y varios círculos de fieltro marrón oscuro de 1,25 cm a modo de pepitas de chocolate. Trabaje las pepitas con la aguja sobre el círculo beis. Cosa los círculos beis y rellénelos para obtener la galleta. Confeccione unas cuantas galletas más.

alfajores
Forme alfajores de 6 cm diámetro por 4 cm de altura con fieltro con aguja. Utilice fibra de lana rosa. Rodee el centro con lana blanca para crear el relleno. Confeccione varios alfajores de color verde, marrón, amarillo, lavanda y azul.

bagel con semillas de amapola (imagen)
Siga el mismo patrón que para hacer la rosquilla, pero usando hilo beis. Dé pequeñas puntadas con hilo en toda la superficie para representar las semillas de amapola.

muñecas

Las muñecas son maravillosas compañeras y grandes heroínas. Tanto si sueña con ser una bailarina como un pirata que surca los mares, estas muñecas la invitarán a entrar en su mundo de fantasía.

caras de fieltro

véanse variaciones en la página 151

materiales

- fieltro de colores marrón oscuro, blanco, azul claro, negro, rojo, marrón y naranja
- fieltro almidonado marrón oscuro
- papel de calcar
- alfileres de costura
- hilo de coser de colores que combinen con el fieltro marrón oscuro
- máquina de coser (opcional)
- cola para tejido

dimensiones finales: 23,5 cm de altura; 18,5 cm de anchura

instrucciones

Calque y corte las piezas del patrón de los siguientes colores de fieltro:
marrón oscuro: (2) cabezas, (1) fieltro almidonado, (1) nariz
blanco: (2) ojos de mujer, (2) ojos de hombre
azul: (2) iris de mujer, (2) iris de hombre
negro: (4) pupilas (las mismas para los dos conjuntos de ojos), (1) boca
rojo: (1) labios de mujer
marrón: (1) bigote, (1) cabello de hombre
naranja: (1) cabello de mujer

bolsillo

Corte un bolsillo de fieltro marrón oscuro de 12 × 18 cm y céntrelo sobre una pieza de la cabeza. Cósalo con puntada vista a 0,5 cm del borde; deje abierta la parte superior de 12 cm.

cabeza

Coloque el fieltro rígido entre las capas marrones de la cabeza con el bolsillo por fuera y cósalos con puntada vista a 0,5 cm del borde. Si no dispone de máquina de coser, puede hacerlo a mano o utilizar cola para tejido.

ojos

Deberá trabajar con dos pares de ojos: los de hombre, más redondos, y los de mujer, con forma almendrada. Pegue las pupilas y los iris correspondientes con una gota de cola. Utilice el bolsillo negro para guardar todas las piezas y doble los cabellos para que también encajen.

Este proyecto es muy adecuado para que los más pequeños aprendan a distinguir los rasgos faciales.

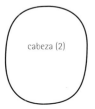

cabeza (2)

Debe aumentarse un 900 % para conseguir el tamaño real.

bailarina de tela

véanse variaciones en la página 152

materiales

- Tela: Robert Kaufman Kona Cotton (100 % algodón), 25 cm de Bone; Cloud9 Fabrics Nursery Basic Speckles (100 % algodón orgánico), 25 cm de Sky
- papel de calcar
- alfileres de costura
- tiza de sastre
- hilos de coser que combinen con las telas
- aguja de coser
- máquina de coser (opcional)
- hilos de bordar en colores negro, rosa, crema y azul
- relleno

dimensiones finales: 19,5 cm de longitud; 5 cm de anchura; 29 cm de altura

Debe aumentarse un 430 % para conseguir el tamaño real.

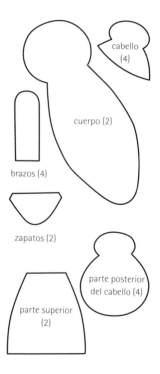

cabello (4)

cuerpo (2)

brazos (4)

zapatos (2)

parte posterior del cabello (4)

parte superior (2)

instrucciones

cuerpo

Calque y corte el patrón de la bailarina. Doble los bordes superior e inferior del vestido de topos (1 cm hacia el revés) y plánchelo. Alinee los bordes y sujételos con alfileres. Cosa con puntada vista a 0,5 cm de la parte superior y la inferior. Alinee el cabello por el derecho en las partes delantera y trasera de la cabeza. Sujételo con alfileres y cóselo solo en la base de la cabeza, en la pieza posterior y siguiendo la línea de la parte delantera. Doble 1 cm el borde superior de los zapatos hacia el revés y plánchelo. Alinee las zapatillas de ballet con los pies y sujételas con alfileres. Cósalas con puntada vista a 0,5 cm del borde.

Borde los ojos y la boca con hebras dobles de hilo de bordar negro y rosa. Marque la separación de las piernas con un pespunte de hilo de bordar de color crema (desde los pies hasta la línea de la falda). Cosa con un pespunte los «lazos» de las zapatillas de ballet en un azul más oscuro. Cosa siguiendo los brazos en toda su

longitud y por la parte superior; deje abierto
el extremo inferior. Dé la vuelta a la pieza
y rellénela ligeramente.

Con la bailarina boca abajo, incline ligeramente
los brazos. Coloque encima la parte delantera
de la muñeca de manera que los derechos se miren,
y sujete con alfileres. Cósa a máquina o a mano
alrededor del cuerpo dejando una abertura de
7,5 cm en las piernas, justo por debajo de donde
irá la falda. Dele la vuelta, rellene y cierre con
puntada invisible. Ate la base del moño con un
hilo de bordar azul y oculte los extremos del
nudo detrás de la cabeza.

tutú

Corte una tira de tela de lunares de 9,5 × 60 cm.
Doble 0,5 cm de la parte superior hacia el revés
y planche. Vuelva a doblar 1 cm más hacia el
revés y planche. Dele la vuelta a la falda y cosa
el dobladillo con hilo blanco. Para que se frunza,
hilvánelo a máquina o a mano, a 0,5 cm de borde,
con hilo blanco. Tome una hebra de hilo (si hilvana
a máquina; si lo hace a mano, será el único hilo)
y tire cuidadosamente para fruncir la tela. Sujete
con alfileres y cosa los bordes cortos con costuras
por dentro del tutú cerrado. La falda será estrecha;
tendrá que apretar la muñeca para subir el tutú.
Sujete con alfileres y cosa con punto corrido, con
hilo blanco, en torno a la cintura y por encima de
la costura para que quede oculto.

pirata de ganchillo

véanse variaciones en la página 153

materiales

- hilo: Brown Sheep Nature Spun Worsted (100% lana, 100 g, 224 m), 1 ovillo de (A) Pepper, (B) Natural, (C) Red Fox; Knit Picks Swish Superwash (100% lana Superwash, 100 g, 100 m), 1 ovillo de (D) Sand Dune; Brown Sheep Cotton Fleece (80% algodón, 20% lana merino, 100 g, 196 m), 1 ovillo de (E) Truffle
- ganchillo de 4 mm
- relleno
- fieltro de lana negro
- hilo de bordar negro y marrón claro
- aguja de tapicería

tensión: 5 ps en 6 filas = 2,5 cm
dimensiones finales: 10 cm de longitud; 5,5 cm de anchura; 23 cm de altura

instrucciones

cuerpo

Con A, cd 2, 6 pd en la 2.º cd desde el ganchillo, 1pst en el primer pd para unir.

V1: cd 1, [2 pd en el siguiente p] × 6, 1pst en el primer pd para unir – 12 pd.

V2: cd 1, [1 pd, 2 pd en el siguiente p] × 6, 1pst en el primer pd para unir – 18 pd.

V3: cd 1, [2 pd, 2 pd en el siguiente p] × 6, 1pst en el primer pd para unir – 24 pd.

V4: cd 1, [3 pd, 2 pd en el siguiente p] × 6, 1pst en el primer pd para unir – 30 pd.

V5-9: cd 1, pd en los 30 ps siguientes, 1pst en el primer pd para unir.

V10: rep V9. Ate A, una B.

V11: cd 1, pd en los 30 ps siguientes, 1pst en el primer pd para unir.

V12: rep V11. Ate B, una C.

V13: cd 1, pd en los 30 ps siguientes, 1pst en el primer pd para unir. Alterne entre blanco y rojo cada dos filas hasta el final de la V25.

V14-22: cd 1, pd en los 30 ps siguientes, 1pst en el primer pd para unir.

V23: cd 1, [3 pd, pd2j] × 6, 1pst en el primer pd para unir – 24 pd. Rellene.

V24: cd 1, [2 pd, pd2j] × 6, 1pst en el primer pd para unir – 18 pd.

V25: cd 1, [1 pd, pd2j] × 6, 1pst en el primer pd para unir. Ate C, una D – 12 pd.

V26: cd 1, pd en los 12 ps siguientes, 1pst en el primer pd para unir.

V27: cd 1, [1 pd, 2 pd en el siguiente p] × 6, 1pst en el primer pd para unir – 18 pd.

V28: cd 1, [2 pd, 2 pd en el siguiente p] × 6, 1pst en el primer pd para unir – 24 pd.

V29: cd 1, [3 pd, 2 pd en el siguiente p] × 6, 1pst en el primer pd para unir – 30 pd.

V30-34: cd 1, pd en los 30 ps siguientes, 1pst en el primer pd para unir. Ate D, una C.

V35: cd 1, [3 pd, pd2j] × 6, 1pst en el primer pd para unir – 24 pd.

V36: cd 1, [2 pd, pd2j] × 6, 1pst en el primer pd para unir – 18 pd. Cosa un ojo, corte un parche cuadrado de 1,25 cm y cosa el bigote y la boca. Cd 15 en hilo rojo y ate en el lado derecho de la bandana.

V37: cd 1, [1 pd, pd2j] × 6, 1pst en el primer pd para unir – 12 pd.

V38: cd 1, pd2j en los 12 ps siguientes, 1pst en el primer pd para unir – 6 pd.

V39: rep la fila 38 – 3 pd. Rompa el hilo, ate y cierre.

brazos

Con D, cd 2, 6 pd en la 2.º cd desde el ganchillo, 1pst en el primer pd para unir.

V1: cd 1, [1 pd, 2 pd en el siguiente p] × 3, 1pst en el primer pd para unir – 9 pd.

V2: cd 1, [2 pd, 2 pd en el siguiente p] × 3, 1pst en el primer pd para unir – 12 pd.

V3: cd 1, pd en los 12 pd siguientes, 1pst para unir.

V4: rep V3. Ate D, una C.

V5: cd 1, pd en los 12 pd siguientes, 1pst para unir.

V6: rep V5. Ate C, una B.

V7: rep V5. Alterne blanco y rojo cada dos filas hasta el final de la V16.

V8-16: cd 1, pd en los 12 pd siguientes, 1pst en el primer pd para unir. Rompa el hilo, pero deje para coser. Rellene. Cosa el brazo en el hombro. Repita con el otro brazo.

piernas

Con A, cd 2, 6 pd en la 2.º cd desde el ganchillo, 1pst en el primer pd para unir.

V1: cd 1, [1 pd, 2 pd en el siguiente p] × 3, 1pst en el primer pd para unir – 9 pd.

V2: cd 1, [2 pd, 2 pd en el siguiente p] × 3, 1pst en el primer pd para unir – 12 pd.

Pd en los 12 ps siguientes hasta tener 9 cm. Rompa el hilo, pero deje suficiente para coser. Rellene y teja la otra pierna, empezando con el color E para la pata de palo, de 4 cm. Añada unas puntadas con hilo marrón más claro. Cambie a A hasta obtener 9,5 cm. Aplane las piernas y alinéelas con los brazos. Cosa con punto de festón y teja los extremos.

robot de tela

véanse variaciones en la página 154

materiales

- tela: Robert Kaufman Kona Cotton (100 % algodón), 25 cm de Medium Grey
- fieltro de lana rojo, un cuadrado de 4 cm
- regla
- tiza de sastre
- aguja de coser
- hilo de bordar amarillo y negro
- alfileres de costura
- hilo de coser gris
- relleno
- 2 ojos de plástico negro de 1,25 cm
- cola para tejido
- girador de puntos

dimensiones finales: 28 cm de longitud; 4 cm de anchura; 30 cm de altura

instrucciones

Con una regla y una tiza de sastre, dibuje las siguientes piezas de tela: cabeza (2), cuadrado de 12 cm; cuerpo (2), cuadrado de 15 cm; brazos y piernas (8), 6 × 9,5 cm. A continuación, córtelas.

Corte una forma de corazón de fieltro rojo a partir de un cuadrado de 4 cm, aproximadamente.

Con hilo de bordar amarillo, comience a hilvanar a 3 cm del borde del brazo y cosa con punto cadena a 4 cm del borde, como se observa en la fotografía.

Sujete las dos piezas para el brazo con los lados derechos juntos y cosa tres lados con un margen de costura de 0,5 cm, dejando abierto uno de los lados (6 cm). Repita para el otro brazo y para ambas piernas. Dé la vuelta a las piezas y utilice la aguja para sacar las esquinas. Rellénelas ligeramente.

Sujete con alfileres y cosa tres lados de la cabeza con un margen de costura de 0,5 cm; dele la vuelta. Para marcar los ojos, mida 6 cm hacia abajo desde la parte superior de la cabeza y trace una línea con tiza de sastre a 2,5-3 cm desde la izquierda y la derecha. Coloque los ojos. Dibuje una boca a 5 cm de los lados y hacia arriba desde el borde inferior; utilice tiza de sastre y pespuntee una sonrisa con hilo negro de bordar. Rellene la cabeza.

Añada las extremidades por dentro del cuerpo y después deles la vuelta. Coloque la cabeza en uno de los lados del cuerpo con la cara hacia abajo y alinee el borde abierto con la parte superior del cuerpo; céntrelo a 1,25 cm a cada lado de la cabeza. Sujételo con alfileres, disponga la otra pieza del cuerpo encima, sujete todas las piezas juntas y cósalas con un margen de costura de 0,5 cm.

Coloque el brazo derecho en el interior del cuerpo con el bordado cerca del borde y con la esquina superior al lado de la cabeza. Sujételo con alfileres y cósalo con un margen de costura de 0,5 cm. Alinee las piernas en la esquinas inferiores internas del cuerpo. Sujete con alfileres la pierna izquierda a 0,5 cm de la esquina izquierda. Cósala con un margen de costura de 0,5 cm. Sujete con alfileres el brazo izquierdo en la esquina superior izquierda, junto a la cabeza, y cósalo con un margen de costura de 0,5 cm. Deje una abertura de 6 cm en la parte izquierda del cuerpo.

Dé la vuelta al muñeco, rellene el cuerpo y ciérrelo con una costura invisible. Pegue el corazón con cola en la parte superior derecha.

materiales

- hilo: Brown Sheep Nature Spun Worsted (100 % lana, 100 g, 224 m), 1 ovillo de (A) Elf Green, (B) Saddle Tan; Lion Brand Cotton Bamboo (52 % algodón, 48 % bambú, 100 g, 224 m), 1 ovillo de (C) Persimmon; Brown Sheep Shepherd's Shades (100 % lana, 100 g, 120 m), 1 ovillo de (D) Chestnut
- adp de 4 y 4,5 mm
- aguja de tapicería
- ganchillo de 4 mm
- relleno
- hilo de bordar negro y rosa
- aguja para fieltro de tamaño 38
- cola para tejido

tensión: 6 ps en 7,5 filas = 2,5 cm
dimensiones finales: 5 cm de longitud; 3 cm de anchura; 19 cm de altura

sirena de punto

véanse variaciones en la página 155

instrucciones

cuerpo

Con las adp de 4 mm y A, M 8 ps,
dividir entre 3 adp y unir en redondo.
Utilice los puntos montados a modo
de guía para el final del tejido en
redondo.

**V1 y todas las filas impares
hasta la fila 11:** tpd.

V2: tpd4, 1adr, tpd4, 1adr – 10 ps.

V4: tpd5, 1adr, tpd5, 1adr – 12 ps.

V6: tpd6, 1adr, tpd6, 1adr – 14 ps.

V8: tpd7, 1adr, tpd7, 1adr – 16 ps.

V10: tpd8, 1adr, tpd8, 1adr – 18 ps.

V12: tpd9, 1adr, tpd9, 1adr – 20 ps.

V13–24: tpd.

V25–26: pr.

Cambie a B.

V27–39: tpd.

Empiece a rellenar y continúe
hasta el final.

V40: [tpd2, 2pdj] 5 veces – 15 ps.

**V41 y todas las filas impares
hasta la fila 45:** tpd.

V42: [tpd1, 2pdj] 5 veces – 10 ps.

V44: [tpd2, 1adr] 5 veces – 15 ps.

V46: [tpd3, 1adr] 5 veces – 20 ps.

V47–52: tpd.

V53: [tpd2, 2pdj] 5 veces – 15 ps.

V54: [tpd1, 2pdj] 5 veces – 10 ps.

V55: 2pdj hasta el final – 5 ps.
Rompa el hilo y tire a través de los
5 ps. Teja los extremos.

aletas

Con A y el ganchillo, pc 10,
empezando la 2.ª cd desde
el ganchillo.

V1: empezar el 2.º pc desde el
ganchillo, pd en los 9 ps siguientes,
pc1, girar.

V2: empezar el 2.º p desde el
ganchillo. 2 pd, [cd 2, 1 pma]
3 veces, 3 pd, 1pst.
Rompa el hilo y ate.

brazos

Con B y adp de 4 mm, M 6 ps. Teja
un cordón de 7,5 cm. Rompa el hilo,
pero deje suficiente cantidad para
coser. Teja el otro brazo y cosa en
los hombros. Teja los extremos.

conchas

Con cuatro agujas de 4 mm, M 5 ps
y tejer 4,5 cm. Rodee el centro con
el hilo 2 veces y anude en la parte
posterior. Cosa en su lugar.

cara

Cosa los ojos y la boca, como se
muestra en la fotografía, con hilo
de bordar negro y rosa.

cabello

Corte 6,5 m de D para el pelo.
Dóblelo repetidas veces hasta que
mida, aproximadamente, 23 cm.
Agrúpelo y haga un nudo con el
mismo hilo. Será la raya del pelo.
Ate el cabello a la cabeza con hilo
y oculte los extremos. Extiéndalo
sobre la cabeza. Trabaje con aguja
la «raya» para mantenerla en su lugar.
Utilice cola para asegurar el cabello.

alicia en el país de las maravillas y conejo blanco

véanse variaciones en la página 156

materiales

- tela: Robert Kaufman Kona Cotton (100% algodón), 25 cm de Tomato, Buttercup, White, Bone; P&B Textiles Spectrum Solids (100% algodón), 25 cm de Blueberry
- fieltro blanco y negro
- papel de calcar
- alfileres de costura
- tiza de sastre
- hilo de coser de colores combinados con todas las telas
- aguja de coser
- máquina de coser (opcional)
- hilo de bordar rosa claro, negro y amarillo intenso
- cinta azul
- 2 botones blancos/perla
- cola para tejido
- relleno

dimensiones finales: 16,5 cm de anchura; 28 cm de altura

instrucciones

Calque y corte los patrones de las siguientes telas.
Alicia: cabeza: un lado Buttercup, un lado Bone; cabello: Buttercup; vestido (parte superior y dos piezas de la falda): Blueberry; delantal: White.
Conejo blanco: ambas piezas de la cabeza y las orejas: White; ropa: Tomato; reloj: círculo de fieltro rojo de 2,5 cm; ojos: fieltro negro.

alicia

Cabello: planche los tres bordes interiores del cabello (0,5 cm) por dentro. Corte un poco las esquinas del flequillo para facilitar el planchado y cosa siguiendo el borde. Alinéelo con la pieza de la cabeza y cóselos juntos siguiendo la línea interior del cabello, a 1,25 cm del borde.
Cara: utilice tiza de sastre para dibujar los ojos con forma de U, las pestañas y la boca.
Borde la boca con hilo rosa y los ojos con hilo negro. Haga

un pequeño lazo azul y cóselo en la esquina izquierda de la cabeza.
Parte superior del vestido: planche 0,5 cm del borde del vestido azul por el revés y alinee esta pieza con el borde inferior de la cabeza, de manera que quede encima del borde inferior del cabello. Cosa una línea recta solo en el borde superior. Cosa dos botones blancos en el vestido, por debajo de la boca.
Delantal: planche ambos lados y el borde inferior (0,5 cm) por el revés y cóselos. Reserve las piezas para montar la falda.

conejo blanco

Orejas: cosa las orejas (dos piezas cada una) con las partes delanteras juntas; deje el borde inferior abierto. Deles la vuelta.
Ropa: planche 0,5 cm del borde superior de la pieza roja por el revés y alinéela con el borde inferior de la cabeza. Cosa una línea recta en la parte superior de la prenda roja. Repita el proceso para la espalda.

Cara: pegue los ojos, borde una nariz triangular rosa, ate unos bigotes y borde la boca.

Reloj: borde las manecillas del reloj sobre el círculo de fieltro; utilice hilo negro. Sujete con alfileres el reloj en la parte central derecha de la pieza roja y cósalo con punto corrido siguiendo el borde exterior; use hilo amarillo. Cosa un cuadrado pequeño en la parte superior izquierda del reloj y borde una cadena curvada hasta la parte superior de la prenda roja.

montaje

Coloque las caras de Alicia y el conejo con las partes de delante juntas. Cosa solamente el borde inferior recto. Repita el proceso con las piezas traseras de la cabeza y aplánelas. Ponga las piezas con los lados derechos juntos (la cara y la cabeza juntas). Sujete con alfileres las orejas del conejo en la cabeza, alineadas con los ojos y apuntando hacia abajo. Cosa alrededor del óvalo de la cabeza, pero deje una abertura de 7,5 cm en un lado. Dele la vuelta, rellene la pieza y cósala con puntada invisible. Hilvane el delantal blanco en el centro superior del vestido de Alicia. Cosa los lados del vestido azul con la parte delantera junta y repita la operación con el traje rojo del conejo. No gire todavía los vestidos. Coloque el vestido sobre la cabeza de Alicia con la parte más estrecha y el delantal en la cintura. Cosa con punto corrido en la cintura para fijar la falda y el delantal al cuerpo. Repita el proceso con la prenda roja del conejo. Alinee los dos vestidos. Plánchelos y sujete con alfileres los bordes de las faldas, juntos; cosa siguiendo el borde inferior; así, cuando separe las faldas para cada personaje, tendrá una sola y no dos. ¡Dos muñecos en uno!

delantal

cabello

cabeza

parte superior (2)

orejas (4)

falda (2)

Debe aumentarse un 760 % para conseguir el tamaño real.

casita de muñecas de tela véanse variaciones en la página 157

materiales

- algodón de peso medio, 25 cm de verde azulado
- 1,5 láminas de fieltro rígido de 30 × 46 cm
- tweed marrón oscuro, 25 cm
- fieltro amarillo, blanco, marrón, negro y naranja
- papel de calcar
- alfileres de costura
- tiza de sastre
- máquina de coser (opcional)
- aguja de coser
- hilo de coser verde azulado
- cola para tejido
- 2 botones blancos
- girador de puntos

dimensiones finales: 15 cm de longitud; 15 cm de anchura; 24 cm de altura

instrucciones

Corte las siguientes piezas de fieltro rígido: dos paneles laterales para la casa, dos paneles para la chimenea, dos cuadrados de 12 cm para la casa, dos rectángulos de 10 × 15 cm para el tejado, una pieza de 9,5 × 2,5 cm y otra de 6,5 × 2,5 cm para la chimenea.

casa

Disponga los paneles laterales y los cuadrados sobre dos capas de la tela verde azulada, como se muestra en la imagen. Deje 0,25 cm entre cada borde que rodea la pieza del suelo. Corte 1,25 cm alrededor del borde. Con los lados derechos juntos, disponga el fieltro rígido entre la tela. Sujete con alfileres y cosa alrededor de los bordes exteriores tan cerca del fieltro como le sea posible. Deje una abertura de 20 cm en el borde inferior central. Retire las piezas de fieltro, deles la vuelta y colóquelas de nuevo. Cosa alrededor del cuadrado del suelo y el borde abierto con puntada invisible. Doble y cosa a mano la pieza delantera de 12 cm y los bordes del panel lateral para ensamblar la casa.

tejado

Disponga las dos piezas de fieltro del tejado en dos capas de *tweed* con una separación de 0,25 cm entre los bordes de 15 cm. Corte 1,25 cm alrededor del borde. Coloque el fieltro entre la tela con la parte delantera junta. Sujete con alfileres y cosa alrededor del borde, cerca del fieltro, dejando una abertura de 15 cm. Retire el fieltro y gire la tela. Reintroduzca el fieltro dejando 0,25 cm entre los bordes del centro. Cosa en el centro para marcar la unión del tejado y cierre con puntada invisible la abertura inferior. Cosa a mano el tejado sobre la casa con un saliente de 1,25 cm en todos los lados.

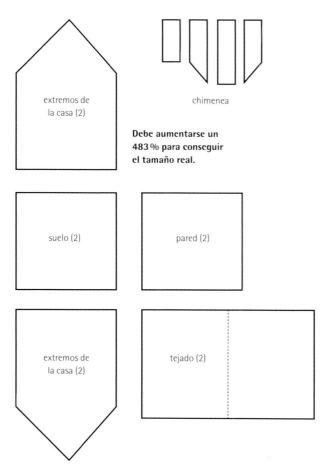

extremos de
la casa (2)

chimenea

**Debe aumentarse un
483 % para conseguir
el tamaño real.**

suelo (2)

pared (2)

extremos de
la casa (2)

tejado (2)

chimenea

Disponga las piezas de fieltro
de la chimenea, como se muestra en
la imagen, en dos capas de *tweed,*
dejando 0,25 cm entre cada pieza de
fieltro. Corte 1,25 cm alrededor del
borde. Coloque el fieltro entre la
tela con las partes de delante del
derecho juntas. Sujete con alfileres
y cosa cerca del fieltro; deje abierto
el borde derecho del diagrama.

Retire el fieltro y gire la tela.
Reintroduzca el fieltro y deje
0,25 cm entre cada pieza. Cosa
cada espacio de 0,25 cm y cierre
a mano el borde abierto. Cosa a
mano la chimenea para cerrarla
y colocarla sobre el tejado.

detalles

Añada los detalles de la puerta, la
ventana y la chimenea con fieltro;
péguelos con cola y ¡a jugar!

variaciones

caras de fieltro

véase el diseño básico de la página 137

rasgos faciales con velcro

Corte dos piezas para los ojos, la nariz, la boca y el cabello; rellénelos un poco y cósalos. Pegue velcro en la parte posterior de cada pieza y en los puntos de la cara donde se deben insertar.

rasgos adicionales

Confeccione unas cejas pobladas con fibra de lana; trabájela con aguja para formar un pequeño rectángulo de fieltro. Corte unas orejas de fieltro beis y cosa a mano los detalles interiores con un hilo ligeramente más oscuro. Trabaje con fieltro y aguja dos pequeñas bolas blancas para obtener unos pendientes de «perlas». Corte dos círculos de fieltro rosa de 2,5 cm a modo de mejillas.

formas para un rompecabezas-casa

Confeccione una serie de formas planas para encajarlas en un rompecabezas-casa. Corte dos piezas de cada forma: un cuadrado de 10 cm para la estructura principal de la casa; un triángulo de 10 cm de anchura para el tejado; una puerta de 5 × 2,5 cm; dos ventanas cuadradas de 2,5 cm y una chimenea de 5 × 2,5 cm. Cosa estas figuras.

juego de memoria

Corte cuadrados de fieltro de 7,5 cm (dos para cada carta). Corte y cosa triángulos, cuadrados, círculos y rectángulos de diferentes colores en un lado de cada carta de fieltro. Cosa el cuadrado en cada carta siguiendo los bordes.

bombín (imagen)

Corte un bombín de fieltro de una pieza que tenga la misma anchura que la cabeza y con un ala que sobresalga 4 cm por cada lado. El sombrero tendrá 16 cm de altura y será redondeado en las esquinas y en las alas. Trabaje con aguja una tira de fieltro negro de 4 cm en la base del sombrero y que sea de la misma anchura que este.

orejas de fieltro

Corte dos orejas de fieltro beis y cosa en ellas a mano los detalles interiores con un hilo algo más oscuro. Trabaje con aguja dos pequeñas bolas de fieltro blanco a modo de pendientes de «perlas».

bailarina de tela

véase el diseño básico de la página 138

muñeca de papel

Confeccione una bailarina plana (como una bailarina de papel) con fieltro siguiendo el patrón para la bailarina. Cosa las piezas sobre fieltro rígido. Cree varios vestidos y tutús, zapatos y cabellos para intercambiarlos y superponerlos.

gata bailarina

Siga el patrón para la bailarina, pero omita el cabello. Corte triángulos de fieltro de color crema, de 4 cm, y de fieltro rosa claro, de 2,5 cm, para las orejas. Borde una pequeña nariz triangular rosa y unos bigotes blancos en la cara. Añada una cola y redondee las manos a modo de pezuñas.

marioneta de bailarina

Reduzca el patrón de la bailarina a la mitad y siga las instrucciones para confeccionar una muñeca más pequeña. Corte una hebra de hilo de 25 cm y átela en la parte superior de la cabeza; ate el otro extremo a un palito de madera o un aro de 7,5 cm. Ya puede hacer que su bailarina gire y baile.

princesa

Utilice fieltro amarillo o naranja para el cabello y convierta el tutú en una falda más larga (hasta los tobillos). Corte una tiara de fieltro de 5 cm y cósala sobre la cabeza. Borde las «joyas» en la corona con hilo rosa y rojo.

girl scout

Para crear el cabello, sustituya el fieltro por una hebra de 40 cm de hilo. Mida 20 cm y cosa en esa marca sobre la cabeza, con el centro de la raya en la parte delantera y trasera de la cabeza. Forme rizos a cada lado de la cabeza y átelos. Utilice una tela verde para hacer la falda y una blanca para la blusa. Póngale a la figura unos zapatos blancos y calcetines verdes hasta las rodillas. Corte una tira de fieltro verde de 4 × 30 cm para el fajín e incluya pequeñas piezas de fieltro a modo de insignias. Cosa los bordes cortos y colóquelos sobre los hombros de la muñeca.

pirata de ganchillo

véase el diseño básico de la página 140

garfio
Corte una capa doble de fieltro gris de 2,5 cm para el garfio. Cosa las dos capas con hilo gris. Reduzca el tamaño de una mano del pirata eliminando las filas 3 y 4 del patrón para el brazo, y cambie a C al final de la fila 2. Cosa el garfio en el extremo de esa mano.

mapa del tesoro (imagen)
Corte una pieza de fieltro beis de 50 × 40 cm para confeccionar un mapa del tesoro. Cosa las marcas de la tierra y las islas. Añada palmeras y barcos de piratas de fieltro. Cosa líneas de puntos en el mapa a modo de ruta que lleva al tesoro, y con una X maque el lugar donde se halla el pequeño cofre.

superhéroe
Utilice el mismo patrón que para hacer el pirata, pero emplee otros colores para la ropa. Corte un cuadrado de fieltro de 10 cm para confeccionar una capa. Cosa con punto corrido 1,25 cm por debajo del borde superior y frúnzalo. Cosa el borde fruncido en la parte posterior del cuello. Corte una máscara y cósala; borde encima dos puntos para representar los ojos.

mimo
Use hilo negro en lugar de rojo para crear un mimo. Corte un círculo de fieltro blanco de 3 cm y cósalo para representar la cara pintada de blanco. Cosa unos labios rojos y unas líneas negras verticales por encima y por debajo del centro de los ojos. Utilice hilo blanco para las manos, en lugar de marrón, y confeccione las piernas con ganchillo de hilo negro.

ninja
Teja toda la muñeca con ganchillo e hilo negro. Corte una tira de fieltro beis de 2,5 × 1,25 cm para los ojos. Borde los ojos con hilo negro; cósalos sobre el rostro. Confeccione un cinturón negro de cadeneta de 23 × 25 cm y cósalo en la cintura.

variaciones

robot de tela

véase el diseño básico de la página 142

robot en 3D
Para que el robot quede más cuadrado y tridimensional, corte cuatro cuadrados de 12,5 cm para la cabeza y cuatro de 15 cm para el cuerpo, ocho rectángulos de 6 × 9,5 cm para los brazos y las piernas, y cuatro cuadrados de 6 cm para los extremos de los brazos y las piernas. Cosa los cuadrados y los rectángulos con sus correspondientes partes del cuerpo para convertirlos en «bloques». Rellene las extremidades y cósalas a mano.

astronauta (imagen)
Siga el patrón del robot, pero utilice fieltro blanco en lugar de gris. Corte un rectángulo de 4 cm de altura por 6 cm de anchura con fieltro negro para la pantalla del casco, y añádalo mediante aguja. Corte cuatro tiras de fieltro rojo de 1,25 × 6 cm y añádalas con aguja a los puños y las rodillas del astronauta.

extraterrestre cíclope
Para confeccionar un extraterrestre, use tela verde y redondee las esquinas del patrón del robot. Corte un ojo de fieltro blanco de 4 × 5 cm y un iris de fieltro negro para colocarlo encima. Cosa el ojo en el centro de la cara. Corte dos antenas de 7,5 × 2 cm en la cabeza y cósalas.

perro robot
Con el mismo tejido gris que el utilizado para el robot, corte dos rectángulos de 10 × 15 cm para el cuerpo. Corte dos rectángulos de 7,5 × 10 cm para la cabeza. Cosa esas piezas, rellénelas y cosa la cabeza en la esquina superior derecha del cuerpo. Siga el patrón de los brazos del robot para confeccionar cuatro patas. Añada la cola y los ojos.

robot femenino
Siga el mismo patrón que para hacer el robot y corte la mitad inferior del cuerpo de manera que forme una falda triangular de 20 cm de anchura. Borde pestañas en los ojos y círculos rosados de 1,25 cm de diámetro en las mejillas.

sirena de punto

véase el diseño básico de la página 145

tritón

Siga el mismo patrón que para hacer la sirena, pero omita las conchas. Añada un cabello más corto y borde los detalles de los músculos pectorales con un hilo ligeramente más oscuro que el del cuerpo.

bailarina hawaiana

Siga el mismo patrón que para hacer la sirena; comience en la fila 19 con el hilo B. M 20 ps y una en redondo. Trabaje el patrón desde la vuelta 19 hasta la 55, y las vueltas 25 y 26. Confeccione dos piernas siguiendo el patrón para el brazo. Aplane la fila de puntos montados y coloque los extremos de las piernas entre los bordes; cósalos. Realice la falda con hebras del hilo verde utilizado para la sirena. Corte la falda de «hierba» de manera que mida 5-7,5 cm de longitud y alinee una capa gruesa de hilo para la falda. Corte una tira de fieltro verde de 1,25 cm para la cintura. Envuelva con ella a la bailarina y cósala. Siga el resto del patrón para hacer la sirena y haga una guirnalda de flores de fieltro para el cuello y una flor para el cabello.

hada

Siga la variación de la bailarina hawaiana para crear un hada. Confeccione el cuerpo con hilo rosa hasta el cuello. Utilice dos tonos mezclados de hilo rosa en lugar del hilo verde. Corte dos alas de fieltro blanco, de 5 cm, y cósalas en la espalda, debajo de los omoplatos.

neptuno

Cree el dios romano del agua y los mares añadiendo a la figura una barba y cabellos blancos, así como un tridente. Corte dos capas de 15 cm de longitud, de fieltro amarillo, para el tridente. Cosa las capas juntas y borde los detalles con un hilo que combine. Corte una corona de fieltro y cósala sobre la cabeza.

trono de conchas

Trabaje con fieltro y aguja un trono de conchas marinas para Neptuno o para la princesa sirena. Las conchas deben medir 10 cm de anchura y de altura. Cosa las líneas de la concha desde el centro inferior hacia los bordes, como un abanico. Una las conchas con la aguja de manera que queden abiertas, como un asiento.

variaciones

alicia en el país de las maravillas y conejo blanco

véase el diseño básico de la página 142

ricitos de oro y los tres osos

Siga el patrón de Alicia para confeccionar a Ricitos de Oro. Realice el cabello rizado con 10 cd y 3 pd en cada p
para cada rizo; cósalas en la parte superior de la cabeza. Utilice tela marrón para la cara de los osos y corte unas orejas
redondeadas en lugar de las orejas de conejo. Borde los rasgos faciales. Corte dos óvalos más pequeños de fieltro marrón
y cree las caras y las orejas de los dos osos más pequeños; cósalos por debajo de la capa principal del rostro. Siga el resto
de las instrucciones para hacer la muñeca.

princesa y príncipe

Aproveche el patrón de Alicia. Use tela rosa para el vestido de la princesa y azul para la chaqueta del príncipe (para
este último, siga el patrón para el conejo y añada una fila de botones en la parte delantera). Reduzca el pelo
del príncipe y cosa coronas de fieltro en las cabezas de los dos muñecos.

caperucita roja y el lobo

Siga las instrucciones del patrón para Alicia y el conejo. Emplee tela roja para Caperucita e hilo naranja en lugar del
amarillo para el cabello. Corte un triángulo para la capucha y cóselo en la parte posterior del cuello. Reduzca las orejas
del conejo de manera que midan 4 cm y cósalas. Borde los ojos, la nariz y los dientes afilados del lobo. Confeccione
una falda de cuadros escoceses para el lobo.

muñeca despierta y dormida

Utilice el patrón para Alicia. Borde unos ojos abiertos en una de las caras y otros cerrados por detrás. Use una tela
de flores para la muñeca durmiente, a modo de pijama; cósale un gorro de dormir a juego en la cabeza.

tortuga y liebre

Corte un óvalo de fieltro verde para representar el caparazón de la tortuga. Borde los detalles lineales, rellénelo
un poco y cóselo en la espalda. Emplee un verde más claro para la parte anterior, uno medio para la cabeza y otro
oscuro para la falda. Siga el patrón del conejo blanco para crear la liebre con tela marrón, en lugar de la blanca y roja.

variaciones

casita de muñecas de tela

véase el diseño básico de la página 148

cama de muñeca

Mida el interior de una caja (por ejemplo, de zapatos) y corte dos capas de tela para confeccionar una manta a medida. Cosa la manta con los lados derechos juntos y deje el extremo superior abierto. Dele la vuelta, doble hacia dentro el borde abierto y cierre la manta con puntada vista. Corte dos capas de tela de la misma anchura que la caja y con un cuarto de su longitud. Cosa la almohada del mismo modo que la manta y rellénela antes de cerrarla.

casita para pájaros

Siga las instrucciones para la casita de muñecas utilizando un percal de flores. Añada otra pared a la parte abierta de la casa y abra un agujero de 4 cm en el centro. Esa pared será una trampilla que se podrá abrir y cerrar. Cosa a mano los bordes de la tela en torno al agujero y el borde izquierdo de la nueva pared al borde izquierdo de la casa. Cosa un botón en el centro, hacia la derecha de la casa, e incluya un lazo en la parte derecha de la nueva pared que quede alineado con el botón. Confeccione algunos pájaros como los de la página 39 que puedan habitar la nueva casita.

funda para transportar la casita de muñecas

Para confeccionar una funda que permita transportar la casita de muñecas, añada otra pared móvil del mismo tamaño que la parte delantera de la casa. Cosa a mano el borde inferior de esa pared al borde inferior de la casa. Cosa un botón en las dos esquinas superiores y añada sendos lazos alineados con los botones y alrededor de estos. Para el asa de la funda, corte dos tiras de fieltro marrón de 2,5 × 15 cm y cóselas juntas por los bordes. Sujete con alfileres el asa a lo largo desde los bordes del tejado y cósela siguiendo los bordes cortos.

casita de hada

Siga las instrucciones para hacer la casita de muñecas, pero utilice una tela que imite las vetas de la madera para las paredes. Añada piezas de fieltro marrón de 1,25 × 2,5 cm para cubrir el tejado; adhiérelas con cola. Borde enredaderas y flores en las paredes exteriores para que la casita tenga un aspecto más «boscoso».

disfraces

Disfrácese y sorprenda a los demás con su nuevo
aspecto o póngase una corona para convertirse
en el noble amo de una tierra lejana. Los disfraces
de este capítulo lo ayudarán a convertirse en los
personajes que lleva dentro.

capa de superhéroe

véanse variaciones en la página 178

materiales

- tela: P&B Spectrum Solids (100 % algodón), 1 m de Blueberry; Robert Kaufman Kona Cotton (100 % algodón), 25 cm de Honey Dew
- hilo de coser a juego con las telas
- imperdible grande
- cinta de 2 cm de anchura, color amarillo fluorescente, 2 m
- entretela termoadhesiva de doble cara
- estabilizador

dimensiones finales:
67 × 74 cm

instrucciones

Corte un rectángulo de tela Blueberry de 112 × 76 cm. Cosa los lados cortos con un dobladillo de 0,5 cm. Doble el borde superior largo con un dobladillo de 3 cm; deje los lados abiertos para introducir la cinta. Cosa el borde inferior con un dobladillo de 4 cm. Sujete el imperdible al extremo de la cinta y pásela por el borde superior. Corte los extremos de la cinta en ángulo.

Calque el rayo sobre el forro que queda con la trama de la entretela termoadhesiva. Corte la entretela. Planche sobre el revés de la tela Honey Dew (solo unos segundos). Corte la entretela y la tela juntas siguiendo la línea trazada. Retire el papel protector.

Coloque el rayo a unos 18 cm del cuello, centrado a 56 cm de los lados, en la espalda de la capa. Planche durante 10-20 segundos. Corte una pieza de estabilizador más grande que el rayo y plánchela sobre la parte posterior de este. Con hilo amarillo, cosa con puntada en zigzag de 0,25 cm de anchura, aproximadamente; la puntada debe ser lo más corta posible. Cosa siguiendo el borde del rayo. Ate los extremos del hilo en la espalda de la capa y retire el estabilizador.

Debe aumentarse un 360 % para conseguir el tamaño real.

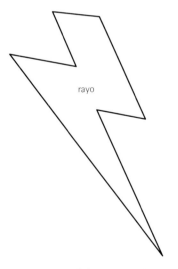

rayo

corona de fieltro

véanse variaciones en la página 179

materiales

- fieltro de mezcla de lana y rayón: 25 cm de amarillo y 5 cm de cuadrado turquesa
- 25 cm de entretela
- papel de calcar
- hilo de coser de los colores del fieltro
- velcro de 5 cm de anchura

dimensiones finales: 9 cm de altura; 58 cm de anchura (ajustable); para una medida de cabeza de 50-55 cm.

instrucciones

El patrón de la corona que se muestra es la mitad de la pieza entera. Doble el fieltro amarillo por la mitad y coloque encima el patrón alineando el borde derecho con el pliegue del fieltro. Ese pliegue será el centro delantero de la corona. Corte dos piezas para la corona y una pieza de la entretela cosida que mida 0,5 cm menos en todo su contorno. La entretela quedará por dentro del borde cosido con puntada vista.

Calque la piedra preciosa ovalada de fieltro turquesa y córtela. Hilvánela en el centro delantero de la corona y cósala con punto de festón utilizando un hilo del mismo color.

Coloque la entretela cortada entre las dos capas de la corona de fieltro e hilvane los bordes. Cósala con puntada vista a 0,5 cm del borde.

Corte una tira de 5 cm de velcro y cosa cada uno de los lados en los extremos posteriores de la corona. Cosa una X de esquina a esquina de ambas piezas de velcro para fijarlas bien al fieltro.

Debe aumentarse un 720 % para conseguir el tamaño real.

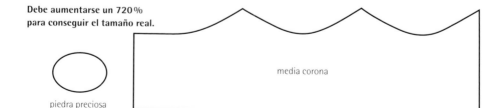

piedra preciosa

media corona

cetro de ganchillo

véanse variaciones en la página 180

materiales

- hilo: Brown Sheep Nature Spun Worsted (100% lana, 100 g, 224 m), 1 ovillo de (A) Impasse Yellow, (B) Red Fox
- ganchillo de 4 mm
- aguja para fieltro de tamaño 38
- fibra de lana amarilla

tensión: 5 ps en 6 filas = 2,5 cm
dimensiones finales: 34 cm de altura; 6 cm de anchura

instrucciones

Con A, pc 2. Tejer 6 pd en la 2.º pc desde el ganchillo. 1pst en el primer pd para unir.

V1: pc 1, 2 pd en cada p, 1pst en el primer pd para unir – 12 ps.

V2: pc 1, [pd en el siguiente p, 2 pd en el siguiente p], 1pst en el primer pd para unir – 18 pd.

Cd 1, pd en cada p, 1pst por cada vuelta hasta que haya tejido 25 cm. Rellene a medida que teje, hasta el final. Ate A, una B y continúe como se explica.

V1: cd 1, [pd en los 2 ps siguientes, 2 pd en el siguiente p], 1pst – 24 ps.

V2: cd 1, [pd en los 3 ps siguientes, 2 pd en el siguiente p], 1pst – 30 ps.

V3: cd 1, [pd en los 4 ps siguientes, 2 pd en el siguiente p], 1pst – 36 ps.

V4-10: cd 1, pd en cada p, 1pst.

V11: cd 1, [pd en los 4 ps siguientes, pd2j], 1pst – 30 ps.

V12: cd 1, [pd en los 3 ps siguientes, pd2j], 1pst – 24 ps.

V13: cd 1, [pd en los 2 ps siguientes, pd2j], 1pst – 18 ps.

V14: cd 1, [pd en el siguiente p, pd2j], 1pst – 12 ps.

V15: cd 1, pd2j, 1pst – 6 ps.

Rompa el hilo, ate y teja los extremos.

Teja una cadeneta de 7,5 cm con hilo amarillo desde la base de la pieza roja hasta la punta. Realice cuatro cadenetas más y espácielas de manera regular en torno a la pieza roja. Ate la parte inferior y superior de cada cadeneta y oculte los extremos en la pieza roja. Forme una bola amarilla de 2 cm con fieltro y cósala en la punta del cetro.

máscara de forajido

véanse variaciones en la página 181

materiales

- tela: Robert Kaufman Kona Cotton (100 % algodón), 25 cm, color negro
- papel de calcar
- tiza de sastre
- regla
- aguja o máquina de coser
- hilo de coser negro

dimensiones finales: 5,5 cm de altura; 110 cm de anchura

instrucciones

Doble la tela por la mitad de manera que mida 55 cm desde el pliegue central. Doble el patrón a escala por la mitad, por el puente de la nariz. Trace el contorno de la máscara con una tiza de sastre. Con la regla, amplíe las cintas para atar la máscara desde el borde recto de 6 cm.

Corte siguiendo las líneas, doble por la mitad de un ojo y corte en horizontal de lado a lado. Aplane y corte el contorno de las líneas calcadas. Repita para el otro ojo. A continuación, corte alrededor de 0,5 cm de cada ojo para poder doblar los bordes hacia dentro. Planche y repita estos pasos para el otro lado de la máscara.

Sujete la máscara con alfileres, con las partes delanteras juntas, y con las aberturas de los ojos hacia usted. Cosa con un margen de costura de 0,5 cm y deje un extremo de 5 cm abierto. Dele la vuelta y planche. Gire el borde de 5 cm hacia dentro y ciérrelo con puntada invisible. Sujete con alfileres por encima y por debajo de cada ojo. Pespunte a 0,25 cm del borde, alrededor del ojo, con hilo negro; oculte los bordes cortados a medida que va cosiendo. Esconda el hilo por dentro.

Debe aumentarse un 460 % para conseguir el tamaño real.

máscara de forajido

bigote de fieltro con aguja

véanse variaciones en la página 182

materiales

- fibra de lana, 7 g, marrón chocolate
- almohadilla de espuma para trabajar fieltro con aguja
- aguja para fieltro de tamaño 38
- aguja de coser con ojo grande
- cordón elástico o cinta

dimensiones finales: 10 cm de longitud; 0,5 cm de anchura; 2,5 cm de altura

instrucciones

Tome una hebra de fibra de lana de unos 15 cm de longitud, enróllela a lo largo y meta los extremos laterales. Colóquela sobre la almohadilla de espuma y sujete los extremos juntos. Pinche los extremos con la aguja para mantener sujeta la fibra. Continúe trabajando la lana con la aguja hasta que la pieza mida 11,5 cm de longitud y unos 3-4 cm de anchura. No debe quedar muy apretada.

Sitúe el centro del bigote, sujete la lana boca arriba y trabaje repetidamente el centro hacia abajo para formar una muesca. Gire la pieza y trabaje el otro lado de la muesca central.

Aplane de nuevo el bigote y manipule el borde inferior de manera que acabe en punta. Para ello, pinche en los lados moviendo la aguja en sentido horizontal. Gire la pieza de nuevo y dé forma a la curva superior del bigote. Empiece a unos dos tercios por debajo del punto central y rice un poco el extremo. Repita en el otro lado. Si quedan zonas muy sueltas, coloque el bigote plano y trabaje esas zonas en vertical hasta que queden más firmes. Si observa arrugas, ponga una fina capa de lana encima y trabájela con la aguja hasta que quede incorporada al bigote.

Enhebre la aguja con un cordón elástico y pásela por el centro posterior del bigote. Corte y anude el cordón con el tamaño deseado o deje suficiente cantidad de cinta para atarla por detrás de la cabeza.

sombrero de mago de fieltro véanse variaciones en la página 183

materiales

- hilo: Brown Sheep Nature Spun Worsted (100% lana, 100 g, 224 m), 1 ovillo de Snow
- fieltro negro, 45 cm
- entretela para coser, 45 cm
- lápiz
- cuerda
- rotulador para tela
- tiza de sastre
- cinta métrica
- alfileres de costura
- aguja de bordar
- hilo de bordar
- agujas de punto de 4,5 mm

tensión: 5 ps en 7 filas = 2,5 cm

dimensiones finales:
18 cm de altura; 25 cm de diámetro (ala); 18 cm de diámetro (parte superior); 55 cm de circunferencia de la cabeza

instrucciones

sombrero

Marque y corte dos círculos de fieltro de 25 cm y uno de entretela. Marque y corte dos círculos de fieltro de 18 cm y uno de entretela. Centre el círculo pequeño sobre el grande y marque el contorno del primero con tiza de sastre. Corte el círculo interior y descártelo. Repita la operación con el otro círculo de fieltro de 25 cm y el círculo de entretela de la misma medida. Será el ala del sombrero.

Con el lápiz, la cuerda y la tiza, mida y marque un rectángulo de 58 × 18 cm y otro de 57,5 × 18 cm de fieltro negro y de entretela, respectivamente. Córtelos y enróllelos en un cilindro. El rectángulo más corto quedará por dentro del sombrero y se igualará con el rectángulo de 58 cm. Coloque la entretela entre las dos capas del fieltro correspondiente para los tres cortes.

Sujete con alfileres las tres capas de círculos de 18 cm siguiendo el borde del rectángulo de 58 × 57,5 cm; asegúrese de que el rectángulo quede por dentro. Con hilo de bordar negro, cosa con punto de festón el círculo superior de 18 cm y con pespunte la costura de 18 cm del rectángulo. Coloque el sombrero boca abajo, con el círculo de 18 cm que acaba de coser debajo. Sujete con alfileres las tres capas del ala de 25 cm al borde inferior del sombrero y cosa alrededor de este con punto de festón (las puntadas deben quedar por dentro del sombrero).

banda blanca

Con agujas de 4,5 mm e hilo, M 8 ps. Trabaje en pj hasta tener 55 cm; M y teja los extremos. Bloquee plano y sujete con alfileres a la base del sombrero. Cosa con punto corrido en la parte superior y la inferior de la banda, con hilo blanco, pero solo en la primera capa de fieltro, sin llegar a la interior.

pajarita de punto

véanse variaciones en la página 184

materiales

- hilo: Brown Sheep
  Shepherd's Shades
  (100 % lana, 100 g, 120 m),
  1 ovillo de Blue Sky
- agujas de punto de 6,5 mm
- aguja de tapicería
- cordón elástico negro

tensión: 4 ps en 5 filas
= 2,5 cm

instrucciones

Con el hilo y las agujas de punto de 6,5 mm, M 10 ps. Trabaje en pj hasta tener 25 cm y 1pst el primer p como si fuera a insertar la aguja en el punto y a tejer al derecho de cada fila al derecho, insertar la aguja en el punto como si se fuera a tejer del revés de cada fila al revés para crear un borde bonito. R y deje suficiente hilo para coser.

Cosa con punto colchonero los lados cortos para formar un anillo.

Aplane la pieza a lo largo con la costura en un lado y cosa con punto corrido siguiendo la parte superior y la inferior de la pajarita. Teja los extremos.

Sujete la pajarita por el centro como un abanico para que se forme el pliegue. Envuélvalo con hilo y átelo para asegurarlo.

Con hilo y las agujas de tejer de 6,5 mm, M 5 ps. Trabaje en pj hasta tener 7,5 cm, R y deje suficiente hilo para coser. Coloque esta pieza rodeando el centro de la pajarita, cosa los extremos y asegúrela. Teja los extremos.

Corte un cordón elástico de 38 cm (o de la longitud que necesite) y enhebre con él una aguja de tapicería. Pase el cordón por la lazada central posterior que acaba de asegurar a la pajarita y anude los extremos del cordón.

gafas de ganchillo

véanse variaciones en la página 185

materiales

- hilo: Brown Sheep Cotton Fleece (80 % algodón, 20 % lana merino, 100 g, 196 m), 1 ovillo de Cavern
- 2-3 limpiapipas negros
- tenazas/tijeras
- ganchillo de 4 mm
- aguja de tapicería
- cola para tejido

dimensiones finales: 12 cm de longitud; 12 cm de anchura; 5 cm de altura

instrucciones

Doble 14 cm de un extremo de un limpiapipas de manera que obtenga un círculo de 4,5 cm de diámetro. Rodee la base del círculo con 0,5 cm de la parte final, aproximadamente, para unirlo; compruebe que el extremo puntiagudo sea seguro. Doble otro limpiapipas del mismo modo. Para el puente de 2,5 cm de las gafas, corte una pieza de limpiapipas de 5 cm y enrolle 0,5 cm de cada extremo alrededor del centro de los bordes, justo en el lado opuesto a las patillas de las gafas. Corte dos piezas de limpiapipas para la parte de las patillas que van sobre la orejas y rodee cada lado de la montura con un extremo. Gire los extremos opuestos para ocultar los bordes en punta.

Empiece con el extremo de la patilla derecha. Realice un nudo corredizo con el hilo y móntelo en el ganchillo. Trate el limpiapipas como una fila de tejido. Monte una lazada en la parte delantera del limpiapipas para tener dos lazadas en el ganchillo. Pase el hilo por encima y tire a través de ambas lazadas para obtener un único punto. Continúe con pd en todo el limpiapipas y en torno a la montura. Rompa el hilo, átelo y teja los extremos cuando complete el círculo.

Empiece a tejer con pd de nuevo en el puente, más cerca de la montura que acaba de terminar. Pd en el puente y alrededor del siguiente círculo de la montura. Rompa el hilo, átelo y teja los extremos cuando complete el círculo.
Pd en el último lado de las gafas y empiece en la «bisagra» junto al círculo que acaba de terminar.

Asegure los extremos con una gota de cola y repase con una aguja de tapicería e hilo para anudar y reforzar las juntas. Curve las patillas para adaptarlas a las orejas.

máscara de mapache

véanse variaciones en la página 186

materiales

- fieltro, una lámina gris y otra negra de 20 × 25 cm
- cartulina
- rotulador para tejidos
- hilo de coser a juego con el fieltro
- cordón elástico negro

dimensiones finales: 21,5 cm de anchura; 11,5 cm de altura

instrucciones

Calque dos máscaras de fieltro gris, dos orejas, una nariz y la pieza de los ojos de fieltro negro. Corte estas piezas. Coloque la pieza de los ojos sobre las dos capas de fieltro gris y alinee los ojos. Hilvane las tres piezas juntas, y cosa con punto de festón alrededor de los ojos (con hilo negro). Cosa con hilo negro alrededor de los bordes exteriores de la pieza negra de los ojos.

Corte un cordón elástico de 35,5 cm y anúdelo en ambos extremos de la máscara. Colóquelo entre las capas de fieltro gris y sujételo a cada lado de la máscara. Cosa con hilo gris alrededor del borde de la máscara y refuerce el elástico con más puntadas, pasando el hilo a través del elástico. Con el mismo hilo gris, cosa una línea debajo de cada oreja que conecte con la costura exterior. Centre las orejas y la nariz y cósalas en su lugar con hilo negro.

Debe aumentarse un 400 % para conseguir el tamaño real.

máscara gris (2)

máscara negra con orejas y nariz (1 de cada)

gorro de payaso

véanse variaciones en la página 187

materiales

- hilo: Brown Sheep Nature Spun Worsted (100 % lana, 100 g, 224 m), 1 ovillo de Natural
- 25 cm de fieltro rojo
- entretela para coser, 25 cm
- tenedor
- cartulina
- rotulador para tela
- hilo de coser blanco y rojo
- máquina de coser (opcional)
- elástico blanco grueso

dimensiones finales: 16,5 cm de altura; 11,5 cm de anchura

instrucciones

pompones (confeccione 3)

Corte 2,75 m de hilo por pompón y un hilo de 12 cm para atar el centro. Sujete un tenedor en sentido horizontal con una mano y enrolle el hilo con las púas, como si fuese un espagueti; a continuación, enrolle el hilo de 12 cm en el espacio entre las púas. Ate con fuerza el centro del hilo. Corte con las tijeras las lazadas superior e inferior del hilo envuelto. Retire el tenedor y dé volumen al pompón. Corte los extremos irregulares.

gorro

Dibuje el patrón del gorro en una cartulina, trace el contorno sobre el fieltro rojo y la entretela con un rotulador para tela, y córtelo. Alinee la entretela con el revés de la pieza de fieltro y sujételas con alfileres. Cosa la parte inferior con hilo rojo a 0,5 cm del borde. Sujete los lados rectos con alfileres, superpuestos en 0,5 cm para crear una forma cónica. Si es necesario, corte la entretela. Cosa con pespunte a 0,5 cm del borde, de arriba abajo.

Cosa un pompón en la punta del gorro, y los otros dos tal como se muestra en la imagen. Para un niño mayor, corte un elástico de 55 cm para sujetar el gorro por la barbilla. Ate un nudo en cada extremo y cosa con el hilo rojo justo por debajo del nudo para fijarlos a ambos lados del gorro.

**Debe aumentarse un 500 %
para conseguir el tamaño real.**

gorro de payaso

variaciones

capa de superhéroe

véase el diseño básico de la página 159

capa real

Siga las mismas instrucciones que para hacer la capa, pero utilice raso rojo para el exterior y dorado para el forro.

capa del zorro

Siga las mismas instrucciones que para hacer la capa de superhéroe, pero emplee raso negro. Alargue la capa de manera que llegue hasta los tobillos de su pequeño héroe. Use una cinta negra para el cuello.

capa de mago

Utilice raso negro para la capa exterior y rojo para el forro. Cosa con los lados derechos juntos y deje un extremo abierto. Dele la vuelta, doble los bordes 1,25 cm y planche. Cosa con puntada vista a 0,5 cm del borde cerrado y continúe a lo largo de todos los bordes de la capa. Cosa dos líneas paralelas (una a 5 cm del borde superior y otra a 7,5 cm del mismo). Abra unos ojales en la parte delantera de la capa, en cada extremo, entre las puntadas paralelas; han de ser suficientemente grandes como para que pueda pasar el cordón.

capa de caperucita roja

Añada 38 cm de tela roja al borde superior de la capa de superhéroe a modo de capucha. Corte una pieza igual de la misma tela para el forro. Cosa un margen de costura de 1,25 cm alrededor de los bordes, con los lados derechos juntos; deje un extremo abierto. Dele la vuelta a la pieza y plánchela. Doble los bordes abiertos hacia dentro y planche. Cosa con puntada vista a 0,5 cm de borde en toda la extensión de la capa. Para el cordón, cosa dos líneas paralelas, una a 35 cm del borde superior y otra a 38 cm del mismo. Abra unos ojales en la parte delantera de la capa, en cada extremo, entre las puntadas paralelas. Pase el cordón de un ojal al otro. Doble el borde superior por la mitad y sujételo con alfileres para confeccionar la capucha. Cosa con puntada invisible. Coloque la capucha y tire del cordón para fruncir la tela.

capa con inicial

Personalice la capa de superhéroe poniendo la inicial del nombre de su pequeño héroe. Elija un tipo de letra sencillo de un procesador de textos, amplíela al tamaño deseado e imprímala. Siguiendo las instrucciones para añadir el rayo (*véase* pág. 159), cosa la inicial en el centro de la parte posterior de la capa.

corona de fieltro

véase el diseño básico de la página 160

tiara

Para confeccionar una tiara de la misma longitud que la corona, siga el mismo patrón, pero incluya solo las tres puntas del centro del mismo. Corte el resto de las puntas y estréchelas a 4 cm en la parte posterior. Siga las instrucciones de costura del patrón para la corona y añada más joyas.

cinturón de fieltro

Utilice el mismo fieltro amarillo que el usado en la corona para confeccionar un cinturón a juego. Mida la cintura de su rey o su reina y añada 7,5 cm para superponer los extremos con velcro. Corte dos tiras de fieltro de 7,5 cm de anchura y del largo de la cintura. Añada «joyas» de fieltro y cósalas por los bordes con puntada vista. Cosa un velcro de 7,5 cm en los extremos para cerrar el cinturón en la cintura.

corona de flores

Confeccione una corona de flores de hada con alambre. Envuelva el alambre con tiras de tela verde pegada con cola. Doble el alambre para adaptarlo a la medida de la cabeza; enróllelo al menos tres veces y tire de él en distintas direcciones para que no se superpongan las capas. Corte hojas de fieltro de 4 × 2,5 cm y cósalas o péguelas en la corona.

corona de laurel (imagen)

Utilice un cable de tensión resistente para confeccionar una corona de laurel. Corte el cable según la medida de la cabeza del niño (entre 46 y 55 cm) y deje unos 7,5 cm más para doblar y unir los extremos. Doble el cable en un círculo y enrolle los extremos entre sí. Cubra el cable con ganchillo realizado con hilo verde oliva (consulte las instrucciones para las gafas). Oculte los extremos por dentro. Corte hojas de 4 × 6 cm y cósalas por toda la corona hasta que esté llena.

decoración para corona

Utilice el patrón de la sección central con tres puntas de la corona para confeccionar un complemento para la capa real. Siga las instrucciones para la capa de superhéroe (*véase* pág. 159) para añadir la decoración.

variaciones

cetro de ganchillo

véase el diseño básico de la página 163

antorcha

Siga el mismo patrón que para hacer el cetro, pero omita las cuatro cadenetas amarillas y la bola de fieltro amarillo del extremo. Corte suficientes «llamas» de fieltro naranja y rojo, de 7,5 × 12,5 cm, para cubrir el extremo y cósalas.

varita mágica de fieltro con aguja (no apta para los más pequeños)

Forme un rollo de fibra de lana de 30 cm y trabájelo con aguja. Añada más lana para el extremo por el que se sujeta la varita. Pinche el fieltro hasta que esté sólido. Introduzca un palito de bambú y asegúrese de que los extremos queden cubiertos.

varita mágica de hada (imagen)

Con hilo rosa, confeccione 8 pd en un anillo mágico y pd en cada p hasta que la pieza mida 25 cm. Introduzca una clavija de 0,5 cm de diámetro × 25 cm en el interior del tubo de ganchillo, pase el hilo por los 8 últimos ps y ciérrelos. Oculte los extremos. Corte dos estrellas de 10 × 10 cm de fieltro amarillo y cósalas; deje una abertura en la parte inferior para insertar el extremo de la varita. Rellene e introduzca el asa de ganchillo; añada unas cuantas cintas en la base de la estrella antes de coser para cerrar.

varita de mago

Confeccione 8 pd en un anillo mágico con hilo blanco y pd en cada p hasta que la pieza mida 2,5 cm. Ate el hilo blanco e incorpore hilo negro; pd en cada punto hasta tener 28 cm. Ate el hilo negro y una el blanco; pd en cada p a lo largo de 2,5 cm más. Introduzca una clavija de 0,5 × 30 cm, teja los últimos 8 puntos y cierre. Anude el extremo para asegurar el tejido y oculte las puntas por dentro.

tridente

Siga el patrón principal, pero amplíe la vara 38 cm. Introduzca cable de tensión en el interior para reforzarla. Confeccione con ganchillo dos tubos de 25 cm con el mismo hilo, inserte el cable y rellene los tubos. Teja la última fila, tire del hilo y anude para cerrar. Doble el cable en ángulo recto curvado en un extremo y cósalo a la vara de manera que sobresalga 7,5 cm con respecto a los extremos del cable. Repita el proceso con el segundo tubo del otro lado.

variaciones

máscara de forajido

véase el diseño básico de la página 164

máscara bandana del Oeste
Confeccione una máscara de bandido del viejo Oeste. Utilice un cuadrado de 52 cm de tela roja de algodón. Enrolle un dobladillo en los cuatro lados del revés de la tela. Doble la bandana por la mitad, en diagonal, para formar un triángulo. Se coloca sobre la nariz y la boca y se anuda detrás de la cabeza.

cinturón de kárate
Siga las instrucciones para hacer la máscara de forajido, pero omita los cortes para los ojos. Trabaje con dos tiras rectas de 2,5 m × 6 cm de tela. Cosa con las partes delanteras juntas y con un margen de costura de 1,25 cm. Deje un extremo corto abierto y dele la vuelta a la pieza. Doble el último dobladillo 1,25 cm y cierre con puntada invisible.

fajín de pirata
Corte dos piezas de tela roja de 2,5 × 23 cm para confeccionar un fajín de pirata. Corte los extremos en ángulo. Siga las instrucciones de costura del cinturón de kárate. Envuelva el fajín dos veces alrededor de la cintura y anúdelo a un lado del cuerpo.

venda para los ojos
Siga el mismo patrón de la máscara de forajido, pero no corte las aberturas para los ojos. Utilice la venda para jugar a ponerle la cola al burro o para golpear una piñata con un palo, por ejemplo.

bufanda de punto de aviador
Use hilo blanco ligero para tejer una bufanda de 25 × 165 cm en punto jersey. Los bordes se rizarán un poco.

máscara para fiesta de disfraces
Siga las instrucciones para hacer la máscara de forajido y cosa unas lentejuelas o pegue unos diamantes falsos para decorarla.

variaciones

bigote de fieltro con aguja

véase el diseño básico de la página 167

barba de fieltro con aguja

Confeccione una barba de fieltro de lana trabajada ligeramente con aguja para que haga juego con el bigote. Tome una cantidad de fibra de la longitud y la anchura deseadas. Trabaje el borde superior de la lana hacia abajo. Doble los lados para formar una U y únalos a la parte inferior del bigote mediante la aguja. Manipule algo el resto de la barba para que se mantenga firme, pero esponjosa.

patillas de fieltro con aguja

Trabaje con aguja dos rectángulos de 2,5 × 5 cm para confeccionar unas patillas. Corte una tira de fieltro del tamaño indicado y cósala a la fibra de lana (mantenga las puntadas en la parte posterior, sin pasarlas a la anterior). Sujete las patillas con una cinta adhesiva de doble cara.

cejas pobladas

Trabaje unas cejas pobladas como las de Groucho Marx. Hágalas de 5 cm de anchura y más finas en los 2,5-4 cm superiores. Corte dos tiras de fieltro negro de 1,25 × 5 cm y cósalas en la parte posterior de cada ceja. Sujete las cejas con cinta adhesiva de doble cara justo encima de las cejas reales.

perilla de fieltro

Corte dos capas de fieltro del color que desee, de 6 cm de anchura y 5,5 cm de altura. Ajuste el tamaño. Redondee las esquinas y doble el centro lo suficiente para poder cortar. Corte el centro de las dos piezas dejando un borde de 0,75 mm. Realice puntadas verticales con un hilo de un color que combine en el contorno de las dos piezas para imitar el vello facial y cosa las piezas juntas. Sujete la perilla en el rostro con cinta adhesiva de doble cara.

uniceja de fieltro con aguja

Confeccione una uniceja como la de la artista Frida Kahlo. Siga las mismas instrucciones que para hacer el bigote y dele la vuelta para obtener la uniceja, que será un poco más fina y suficientemente ancha como para cubrir hasta los bordes exteriores de los ojos. Cosa una tira de fieltro de un color que combine en la parte posterior y sujete la uniceja en el rostro con cinta adhesiva de doble cara.

variaciones

sombrero de mago de fieltro

véase el diseño básico de la página 168

sombrero de sombrerero loco

Utilice fieltro verde y el patrón del sombrero de mago, pero amplíe el rectángulo superior 12 cm con respecto al borde inferior para confeccionar el sombrero del Sombrerero Loco (de *Alicia en el País de las Maravillas*). De esta manera, el sombrero será más ancho en la parte superior y más estrecho en la base. Sujete con alfileres el rectángulo y mida el nuevo diámetro superior para cortar los círculos correspondientes. Corte el exceso de fieltro en el borde corto después de colocar los alfileres. Deje un margen de costura de 1,25 cm. Siga las instrucciones de costura del sombrero de mago.

sombrero de mary poppins

Siga las mismas instrucciones que para hacer el sombrero de mago, pero reduzca la altura del rectángulo 2 cm para confeccionar un sombrero de Mary Poppins. Añada margaritas de fieltro blanco de 5 cm de diámetro y «bayas» de fieltro rojo de 1,25 cm de diámetro en torno a la base del sombrero.

sombrero del tío sam

Utilice el patrón del sombrero de mago y fieltro rojo para la base. Corte una tira de 56 × 5 cm de fieltro azul marino para la base. Asegúrela con cola. Corte estrellas de fieltro blanco de 4 cm y péguelas alrededor de la tira azul. Corte siete rayas de fieltro blanco de 4 cm y colóquelas sobre la tira azul para que lleguen hasta la parte superior del sombrero. Péguelas con cola.

sombrero de willy wonka

Cree este sombrero con fieltro de color óxido. Siga las instrucciones del sombrero de mago. Añada un cable de tensión media entre las dos capas de fieltro, alrededor del ala, para doblar los lados de la misma hacia arriba.

bombín de charlie chaplin

Siga el mismo patrón que para el sombrero de mago, pero corte el círculo superior de 15 cm de diámetro en lugar de 18 cm. Corte cuatro piezas verticales de 5-7,5 cm de longitud y distribúyalas de forma regular en torno al borde superior del rectángulo. Únalas para curvar el sombrero en la parte superior de manera que se ajuste al círculo de 15 cm. Cosa las piezas y utilice punto de festón para coser el círculo por arriba. Teja la tira de la base con hilo negro en lugar de blanco.

variaciones

pajarita de punto

véase el diseño básico de la página 171

pajarita de ganchillo

Con un ganchillo de 6,5 mm y el mismo hilo que el de la pajarita de punto, cd 9 ps, gire y empiece la 2.º cd desde el ganchillo. Pd en los 8 ps siguientes, gire, cd 1 y repita hasta que la pieza mida 25 cm. Doble la pieza por la mitad y cosa los extremos cortos. Pinche el centro, pase un hilo apretado y átelo para asegurarlo. Oculte los extremos por dentro. Ate un cordón elástico por detrás.

pajarita de lunares (imagen)

Siga las mismas instrucciones que para hacer la pajarita de punto; cuando termine de tejer 25 cm, utilice una aguja de tapicería y un hilo de un color que contraste para coser lunares en punto duplicado. Teja los extremos y continúe confeccionando la pajarita tal como se indica.

corbata de ganchillo

Confeccione una corbata a medida: mida la longitud desde la base del cuello hasta el punto por encima de la cintura. Con un ganchillo de 6,5 mm y el mismo hilo que para la pajarita de punto, cd 8, gire y empiece la 2.º cd desde el ganchillo. Pd en los 7 ps siguientes, gire, cd 1 y repita hasta que la pieza tenga las medidas deseadas. Teja los extremos. Para el «nudo» superior, cd 8, gire y empiece la 2.º cd desde el ganchillo. Pd en los 7 ps siguientes, gire, cd 1 y repita hasta que la pieza mida 7,5 cm; rompa el hilo dejando suficiente cantidad para coser. Coloque esa pieza sobre el borde superior de la corbata con el extremo largo vertical sobre la misma. Gire las dos piezas y doble la parte superior del borde del nudo (1,25 cm hacia abajo) sobre la parte superior de la corbata. Doble las esquinas inferiores hacia el centro, sujetando la base del nudo, y cosa ambas piezas. Cosa un alfiler de corbata en la parte posterior del nudo o utilice un cordón elástico como en la pajarita de punto.

pajarita de punto a rayas

Utilice el patrón de la pajarita de punto y dos colores de hilo para crear una pajarita a rayas. Cambie el color del hilo cada dos filas y lleve el hilo anterior hacia arriba por el lado a medida que teje; de ese modo, no tendrá que romper el hilo cada vez que cambie de color. Continúe confeccionando la pajarita tal como se indica.

variaciones

gafas de ganchillo

véase el diseño básico de la página 172

monóculo de ganchillo (imagen)
Doble un limpiapipas para formar un círculo de 5 cm y rodéelo con ganchillo tal como se indica en el patrón para las gafas. Ate al monóculo una cuerda que tenga la longitud necesaria para sujetarla a la ropa con un imperdible pequeño.

gafas divertidas de ganchillo
Siga las mismas instrucciones que para hacer las gafas de ganchillo, pero doble el alambre en rectángulos en lugar de círculos. Utilice hilo negro para la montura y blanco para el puente (a modo de cinta adhesiva blanca que sujeta el puente roto).

gafas de ojos de gato de punto
Monte tres puntos en una aguja de doble punta y confeccione un cordón tejido para cada sección de alambre; deslícelo sobre el alambre antes de darle forma. Doble el alambre al mismo tamaño que las gafas redondas, pero con las esquinas exteriores de la montura acabadas en punta. Cierre los extremos con una aguja de tapicería y ocúltelos por dentro.

cadena de ganchillo para gafas
Confeccione una cadena de 76 cm de un color distinto al de las gafas. Cosa los extremos para formar una cadena cerrada y sujétela a cada lado de las gafas. Si la complementa con unas gafas de ojos de gato, tendrá parte de un disfraz de bibliotecaria.

gafas de sol con pantalla
Empiece siguiendo las instrucciones para las gafas redondas, pero utilice más alambre para aumentar el tamaño de la montura y crear unas gafas de aviador con un borde superior recto conectado y lentes redondas por debajo. Corte unas tiras finas de fieltro rígido que combine para las pantallas horizontales y cósalas a cada «lente» espaciándolas de forma regular.

máscara de mapache

véase el diseño básico de la página 175

máscara de búho de fieltro

Siga el patrón básico de mapache para confeccionar una máscara de búho. Utilice fieltro de color gris oscuro para la cara y las orejas. Corte un triángulo amarillo de 4 × 5 cm para el pico, también de fieltro, y cósalo en lugar de la nariz negra. Corte dos círculos de color crema para coserlos alrededor de los ojos, y abra unos orificios en el centro para los ojos. Cosa «plumas» de fieltro gris oscuro de 1,25 × 2,5 cm alrededor de los ojos.

máscara de carnaval de fieltro

Aproveche el patrón de mapache, pero sin incluir las orejas, para confeccionar una máscara de carnaval. Hágala con el color que prefiera y añada «plumas» de 7,5-10 cm de un color que contraste. Cósalas en un lado de la máscara. Adórnela con flores bordadas en el borde. Cosa un cordón elástico a cada lado para sujetarla a la cabeza.

máscara con soporte

Convierta cualquiera de las máscaras que hemos confeccionado en una máscara con soporte o en un decorado de fotomatón. Cosa una entretela o fieltro rígido entre las capas de fieltro. Corte un palito de 25 cm y una pieza de fieltro de 4 × 5 cm para el bolsillo. Gire la máscara y coloque un extremo del palo en la parte derecha de la misma. Sujete la pieza de fieltro con alfileres sobre el palo de manera que este encaje cómodamente. Cosa el fieltro a la máscara y, cuando termine, introduzca el palo. ¡Listos para jugar!

hocico de cerdo

Confeccione un hocico de cerdo con fieltro rosa y un cordón elástico para colocarlo sobre la nariz. Corte dos capas de fieltro de 5 × 7,5 cm. Redondee las esquinas y cósalas. Corte dos óvalos de fieltro negro, de 2,5 × 1,25 cm, para las fosas nasales; cósalos sobre el hocico.

máscara de león de fieltro

Redondee las orejas. Corte una nariz triangular de fieltro negro de 2,5 cm y cósala. Corte tiras de fieltro naranja de 2,5 × 5 cm y cósalas en la parte superior de la cabeza a modo de melena.

gorro de payaso

véase el diseño básico de la página 176

gorro de fiesta

Siga las instrucciones para hacer el gorro de payaso, pero añada lunares cosidos de un color que contraste. Confeccione suficientes pompones para adornar el borde y cósalas. Cosa un pompón en la punta del gorro. Haga bastantes gorros para todos los asistentes a una fiesta; utilice diferentes combinaciones de colores y decoraciones.

sombrero de mago

Aumente el patrón del gorro de payaso de manera que el borde inferior mida 45-55 cm (según la medida de la cabeza de su pequeño mago). Utilice fieltro azul marino para el gorro y siga las instrucciones del gorro de payaso para coserlo y ensamblarlo. Corte estrellas de fieltro blanco de 5 cm y cósalas o péguelas sobre el gorro.

gorro de princesa

Aumente el patrón de manera que el borde inferior mida 45-55 cm (según la medida de la cabeza de la niña). Córtelo en fieltro rosa. Cosa una cinta con lentejuelas rosas en el borde inferior del gorro. Corte una pieza de tul rosa de 50 × 12,5 cm, frúnzala en un extremo, sujétela con un alfiler en la punta del gorro y, para ensamblar el gorro, siga las instrucciones del sombrero de payaso. Añada flores de tela, un borde de pelo o una cinta que caiga desde el tul.

gorro de gnomo

Siga las mismas instrucciones que para confeccionar el gorro de payaso, pero hágalo en fieltro rojo y sin pompones. Aumente el patrón hasta el tamaño deseado y cosa las piezas. Si desea que la punta del gorro caiga un poco, corte la entretela unos centímetros por debajo de la punta para que no quede rígida. Siga la variación de la barba de fieltro con aguja (*véase* pág. 167) para completar el disfraz de gnomo.

sombrero de bruja

Combine el patrón del gorro de payaso con el borde del sombrero de mago (*véase* pág. 168) para confeccionar un sombrero de bruja. Aumente el patrón del gorro de payaso hasta 55 cm en la base, corte las piezas de fieltro negro y cósalas. Para el ala y para tener una indicación de cómo coserla a la base del cono negro, siga las instrucciones del sombrero de mago.

objetos cotidianos

Conduzca por las calles con un vehículo de punto
o llame a su madre con un móvil de ganchillo.
Arregle un ramo de peonías o toque una melodía
con un teclado de punto. Podrá hacer todo eso
y más cosas con los objetos cotidianos de este
capítulo.

máquina de coser blandita variaciones en la página 222

materiales

- 25 cm de tela de flores
- fieltro de lana de un color que contraste
- papel de calcar
- retales de fieltro
- hilo de coser
- ganchillo de 4 mm
- hilo Worsted blanco y marrón oscuro
- agujas de tejer de doble punta, de 4,5 mm
- cola para tejido

dimensiones finales: 23 cm de longitud × 7,5 cm de anchura × 20 cm de altura después de rellenar

instrucciones

cuerpo de la máquina de coser

Calque el patrón de la máquina en tela y córtelo. Corte una tira de fieltro de 9 × 95 cm para la anchura de la máquina. Si no dispone de una pieza continua con esas medidas, puede coser dos tiras más reducidas. Sujete con alfileres la tira de 9 × 95 cm en el borde de uno de los recortes de la máquina de coser, con los lados delanteros mirándose. Con su máquina, cosa una costura de 0,5 cm. Cuando termine, sujete con alfileres el segundo corte de la máquina de tela a la tira con la parte delantera hacia dentro; cosa con una costura de 0,5 cm. Tendrá una abertura donde se encuentra la tira de tela de 9 × 95 cm. Utilícela para rellenar la máquina de coser. A continuación, doble 0,5 cm de los bordes hacia dentro y cosa a mano con puntada invisible.

adornos

interruptores de ganchillo:
Con un ganchillo de tamaño 6 e hilo blanco, teja 6 pd en un anillo mágico, 1pst.
V1: cd 2, pd 6 en la 2.º cd desde el ganchillo.
V2: 2 pd en cada p – 12 ps.
V3: *pad 1, 2 pad en el siguiente p*, rep hasta el final – 24 ps. (Termine aquí para el interruptor más pequeño.)

V4: *pad 2, 2 pad en el siguiente p* - 30 ps. (Interruptor más grande de la derecha.) Cosa o pegue en su lugar los interruptores de ganchillo.

Corte un pequeño círculo, un rectángulo y una forma que represente una aguja de coser de fieltro blanco. Cosa la aguja en su lugar, a mano, y pegue los círculos a modo de botones. Confeccione una cadeneta de ganchillo de 7,5 cm de color blanco y cósala encima de la aguja.

bobina de hilo de punto

Con agujas de tejer de 4,5 mm e hilo marrón oscuro, M 15 ps. Una y teja en redondo a lo largo de 3 cm. R y teja los extremos. Corte dos círculos de fieltro blanco para la base y la capa superior de la bobina. Rellene y cosa; a continuación, cosa la bobina encima de la máquina.

cámara de punto

véanse variaciones en la página 223

materiales

- hilo: Brown Sheep Cotton Fleece (80 % algodón, 20 % lana merino, 100 g, 196 m), 1 ovillo de (A) Lime Light, (B) Cavern, (C) Cotton Ball
- fieltro de lana negro y blanco
- agujas de tejer de 4 mm
- hilo de coser negro y blanco
- ganchillo de 4 mm
- relleno

tensión (para el punto semilla): 5 ps en 8 filas = 2,5 cm
dimensiones finales: 12 cm de longitud; 9 cm de altura; 5 cm de anchura

instrucciones

cuerpo de la cámara

Con las agujas de tejer y A, M 25 ps y teja 19 filas en p musgo. R y repita para confeccionar una pieza igual. Con A, M 8 ps y teja en p musgo 24 cm. R y teja los extremos. Con A, cosa la tira de 24 cm por ambos lados y la parte inferior de cada rectángulo con punto corrido, con los bordes por fuera. Corte dos piezas de fieltro negro de 2,5 × 12 cm, una de 4 × 12 cm y dos de 2,5 × 4 cm para la parte superior de la cámara. Cosa juntos los bordes de 4 y 12 cm alrededor de esa pieza superior y 2,5 cm hacia abajo en los lados.

lente

Con un ganchillo de 4 mm y C:
V1: cd 2, 6 pd en la 2.º cd desde el ganchillo. 1pst en la primera cd para unir.
V2: cd 1, 2 pd en cada p, 1pst en el primer p para unir – 12 ps.
V3: cd 1, [2 pd en el siguiente p, pd en el siguiente p], 1pst en el primer p para unir – 18 ps.

V4: cd 1, [2 pd en el siguiente p, pd en los 2 ps siguientes], 1pst en el primer p para unir. Ate C, una B – 24 ps.
V5: cd 1, [2 pd en el siguiente p, pd en los 3 ps siguientes], 1pst en el primer p para unir – 36 ps. Rompa el hilo y realice dos líneas diagonales sobre la lente a modo de brillo. Teja los extremos.

disparador

Con un ganchillo de 4 mm y B:
V1: cd 2, 6 pd en la 2.º cd desde el ganchillo. 1pst en la primera cd para unir.
V2: cd 1, 2 pd en cada p, 1pst en el primer p para unir – 12 ps. Rompa el hilo y teja los extremos. Cosa en la esquina superior izquierda de la cámara.
Corte un rectángulo de fieltro blanco de 2 × 1,25 cm y cósalo en la parte superior derecha de la cámara, delante. Rellene y sujete con alfileres el cuerpo de la cámara y la pieza superior de fieltro. Cosa la lente sobre la parte delantera.

teléfono móvil de ganchillo

véanse variaciones en la página 224

materiales

- hilo: Brown Sheep Cotton Fleece (80 % algodón, 20 % lana merino, 100 g, 196 m), 1 ovillo de Caribbean Sea
- retales de fieltro negro y de colores
- hilo de bordar negro, blanco y de colores variados
- ganchillo de 4 mm
- hilo de coser a juego con el tejido
- relleno
- cola para tejido

tensión: 4,5 ps en 5 filas
= 2,5 cm
dimensiones finales: 7,5 cm de anchura; 10 cm de altura

instrucciones

Con el ganchillo y el hilo, pc 14.
F1: pd en la 2.° pc desde el ganchillo, pd en cada p, girar – 13 ps.
F2: pd en cada p, girar. Rep la fila anterior hasta que el rectángulo mida 12 cm. Rompa el hilo, ate y teja los extremos. Teja otra pieza igual y deje suficiente hilo para coser antes de romperlo.

Corte una pieza de fieltro negro de 9 × 5,5 cm para la cara anterior del teléfono. Céntrala sobre uno de los rectángulos de ganchillo, hilvane y cósala con punto de festón. Cosa juntas las dos piezas de ganchillo y rellene el móvil.

Corte 12 cuadrados de fieltro de 1,25 cm en diferentes colores y borde varios logos de las aplicaciones. Péguelos en cuatro filas y tres columnas. Utilice su imaginación para crear botones e iconos atractivos.

reloj de fieltro

véanse variaciones en la página 225

materiales

- fieltro rojo y turquesa
- fieltro rígido blanco
- papel de calcar
- bastidor de bordar de 25 cm
- aguja de coser
- hilo de coser
- hilo de bordar blanco y morado
- pinzas
- tiza de sastre
- botón de plástico blanco de 2,5 cm

dimensiones finales: círculo de 25 cm de diámetro

instrucciones

Utilice el aro interior del bastidor para trazar un círculo sobre el papel de calcar y dibuje los números alrededor del borde. Tense el fieltro rojo en el bastidor y centre los números. Hilvane con unas cuantas puntadas en todo el perímetro.

Con hilo de bordar blanco, cosa en cadeneta los números directamente sobre el patrón de papel y el fieltro. Cuando termine, retire el patrón de papel con mucho cuidado. Si es necesario, utilice unas pinzas para sacar los trozos más pequeños.

Retire el fieltro del bastidor y corte siguiendo la arruga interior del mismo para obtener un reloj con un diámetro de 25 cm. Utilice el bastidor interior a modo de plantilla y marque el borde exterior del fieltro rígido con tiza de sastre. Corte el reloj y cósalo con puntada vista junto con el soporte de fieltro rígido, con hilo blanco, a 1 cm del borde.

Calque dos capas de cada manecilla en fieltro turquesa y córtelas. Cosa las capas de dos en dos con punto de festón e hilo turquesa. Practique un agujero de 0,5 cm desde el borde inferior de cada manecilla y cosa con punto de ojal alrededor. Mida el centro del reloj y cosa las manecillas desde atrás hacia delante; a continuación,

cosa el botón encima. Asegúrese de que el hilo pase por los dos agujeros de las manecillas. Cosa el botón suficientemente suelto como para poder girar las manecillas.

**Debe aumentarse un 230 %
para conseguir el tamaño real.**

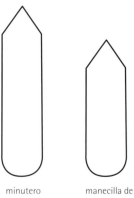

minutero   manecilla de las horas

materiales

- hilo: Brown Sheep Nature Spun Worsted (100 % lana, 100 g, 224 m), 1 ovillo de (A) Turquoise Wonder, (B) Snow, (C) Pepper
- fieltro de lana blanco y amarillo
- agujas de tejer de 4,5 mm
- aguja de tapicería
- ganchillo de 4 mm
- aguja para fieltro de tamaño 38
- relleno
- hilo de coser blanco
- cartulina
- rotulador para tejidos

tensión: 5 ps en 7 filas = 2,5 cm
dimensiones finales: 13 cm de longitud; 12 cm de anchura; 7,5 cm de altura

Debe aumentarse un 320 % para conseguir el tamaño real.

ventana lateral (4)

parabrisas delantero y trasero (2)

automóvil de punto

véanse variaciones en la página 226

instrucciones

ruedas

Con B y el ganchillo de 4 mm,
cd 4 ps en un anillo mágico.
1pst en la primera cd para unir.
V1: cd 1, 2 pd en cada punto,
1pst en la primera cd para unir.
Ate B, una C – 8 ps.
V2: cd 1, [pd en el siguiente p, 2 pd
en el siguiente p], 1pst en la primera
cd para unir – 12 ps.
V3: cd 1, [pd en los 2 ps siguientes,
2 pd en el siguiente p], 1pst en
la primera cd para unir – 16 ps.
V4: cd 1, pd en cada p, 1pst en
la primera cd para unir.
V5: cd 1, [pd en los 2 ps siguientes,
pd2j], 1pst en la primera cd para unir
– 12 ps.
V6: cd 1, [pd en el siguiente p, pd2j],
1pst en la primera cd para unir – 8 ps.
V7: cd 1, pd2j, 1pst en la primera cd
para unir – 4 ps.
Rompa el hilo, pero deje suficiente
cantidad para coser. Confeccione
tres ruedas más.

laterales del vehículo

Con A y agujas de tejer de 4 mm,
M 25 ps.

F1–10: empiece con una fila de pd
y trabaje en pj.
F11 (LD): R 5 ps, tpd 15, R 5 ps,
rompa el hilo y teja el extremo.
F12 (LR): sujete el hilo al resto
de ps y pr.
F13–20: empiece con una fila tpd,
trabaje en pj.
R y teja los extremos. Confeccione
otra pieza para el otro lateral del
vehículo.

bajos del automóvil

Con C y las agujas de 4,5 mm,
M 15 ps. Empiece con una fila tpd,
trabaje 32 filas en pj, R y teja los
extremos.

sección central del automóvil

Con A y las agujas de 4,5 mm, M 15
ps. Empiece con una fila tpd, trabaje
con pj a lo largo de 23 cm, R y deje
suficiente hilo para coser.

montaje

Sujete con alfileres la parte inferior
del vehículo a los bordes de los
laterales. Con A, cosa con pespunte
con las costuras hacia fuera y teja
los extremos. Sujete con alfileres la
sección central de 23 cm: empiece

por el borde de 7,5 cm y rodee
la parte superior del automóvil
por ambos lados. Deje el otro
extremo abierto para rellenar
la pieza. Cosa con pespunte, con A
(las costuras hacia fuera) y rellene.
Cierre la abertura que queda y teja
los extremos. Con una aguja para
fieltro, oculte los extremos sueltos
a lo largo de la costura lateral. Cosa
con C las ruedas en la parte inferior
de los lados del vehículo, a 2,5 cm de
los extremos delantero y trasero.

Dibuje los parabrisas y las cuatro
ventanas de fieltro blanco y córtelos.
Hilvane y cosa con punto de festón
los parabrisas delantero y trasero
a 5 cm de la parte inferior, en
la sección central del automóvil.
Repita el proceso con las dos
ventanas situadas a cada lado
del automóvil y a 4 cm del borde
inferior. Colóquelas de manera que
los bordes rectos queden centrados
y con una separación de 0,5 cm.
Corte dos círculos de 5 cm de fieltro
amarillo para los faros. Cósalos con
2,5 cm de separación y a 1,25 cm
de la parte inferior del vehículo.

ukelele de tela y ganchillo _véanse_ variaciones en la página 227

materiales

- tela: 100% algodón, 25 cm de colores verde y negro
- fieltro blanco y negro
- hilo: Brown Sheep Cotton Fleece (80% algodón, 20% lana merino, 100 g, 196 m), 1 ovillo de (A) Cavern, (B) Cotton Ball; Lion Brand Cotton Bamboo (52% algodón, 48% bambú, 100 g, 224 m), 1 ovillo de (C) Gardenia
- papel de calcar
- tiza de sastre
- aguja de coser
- hilo de coser a juego con las telas
- relleno
- ganchillo de 4 mm
- hilo de bordar

tensión: 5 ps/2,5 cm
dimensiones finales: 20 cm de longitud; 6 cm de anchura; 55 cm de altura

instrucciones

cuerpo

Corte dos piezas para el cuerpo del ukelele. Utilice una regla y tiza de sastre para medir y dibujar una tira de tela verde de 81 × 1,25 cm. Sujete esta tira con alfileres siguiendo los bordes de las dos piezas para el cuerpo, con los lados delanteros juntos, y deje una abertura en la parte inferior.

Cosa alrededor de uno de los bordes del cuerpo: comience por la abertura inferior y acabe en el punto donde ha empezado; repita el proceso con el otro lado.

Corte varias veces en V en el margen de costura de ambos bordes con cuidado de no acercarse demasiado a la costura. De este modo, la tela tendrá espacio por dentro y ello evitará que la costura se arrugue. Dele la vuelta al cuerpo del ukelele y rellénelo de manera que quede firme (el cuerpo tiene que sujetar el mástil). Cierre la abertura con puntada invisible.

mástil

Corte dos piezas de tela negra. Asegúrese de calcar todas las líneas del traste. Cosa sobre dichas líneas con hilo amarillo y puntada recta.

Sujete con alfileres las piezas del mástil con las partes delanteras juntas. Cosa alrededor del borde con un margen de costura de 1 cm; deje 8 cm abiertos en la parte inferior. Dele la vuelta y rellene la pieza de manera que quede firme.

Doble 0,5 cm del borde abierto hacia dentro y sujételo con alfileres en la parte superior central del cuerpo del ukelele. Cosa las dos partes a mano con hilo negro.

caja de resonancia

Con A y el ganchillo de 4 mm:
V1: 6 pd en un anillo mágico.
1pst en la primera cd para unir.
V2: cd 1, 2 pd en cada p, 1pst para unir – 12 ps.
V3: cd 1, [pd en el siguiente p, 2 pd en el siguiente p], 1pst para unir – 18 ps.

V4: cd 1, [pd en los 2 ps siguientes, 2 pd en el siguiente p], 1pst para unir – 24 ps.

V5: cd 1, [pd en los 3 ps siguientes, 2 pd en el siguiente p], 1pst para unir – 30 ps.

V6: cd 1, [pd en los 4 ps siguientes, 2 pd en el siguiente p], 1pst para unir. Ate A, una C – 36 ps.

V7: cd 1, [pd en los 5 ps siguientes, 2 pd en el siguiente p], 1pst para unir – 42 ps.

Rompa el hilo y teja los extremos. Sujete con alfileres la caja de resonancia a 12 cm del borde inferior, a 6 cm del superior y a 3 cm de ambos lados del cuerpo. Cosa todo el borde con hilo amarillo.

clavijero

Con A y el ganchillo de 4 mm:

V1: cd 2, 4 pd en la 2.º cd desde el ganchillo, 1pst en la primera cd para unir.

V2: cd 1, 2 pd en cada p, 1pst para unir – 8 ps.

V3-4: cd 1, pd en cada p, 1pst para unir – 8 ps.

Rompa el hilo y oculte los extremos. Confeccione tres clavijas más.

Cosa una clavija a 1,25 cm por debajo del borde superior de la cabeza, en la parte izquierda. Cosa la segunda clavija a 0,5 cm por debajo del primero. Repita con el lado derecho.

cuerdas

Con B, corte cuatro cuerdas de 50 cm de longitud. Haga un nudo en un extremo de cada cuerda.

Empezando a 6,5 cm del extremo izquierdo y a 5,5 cm del inferior, sujete con alfileres el extremo anudado de una cuerda al cuerpo. Alinee el resto de las cuerdas con 1,25 cm de separación a la derecha de la primera cuerda y sujételas con alfileres. Cosa cada cuerda en su lugar, justo por encima del nudo, con hilo blanco. Coloque el ukelele plano, boca arriba, y estire la cuerda izquierda hasta la clavija más próxima. El hilo tendrá cierta flexibilidad; ténselo bien, pero no en exceso. Haga un nudo en el punto donde la cuerda se encuentra con la clavija y corte el exceso de hilo. Sujete con alfileres el nudo a 1,5 cm del borde y centrado desde la clavija, y cosa justo por debajo del nudo. Repita el proceso con la cuerda de la derecha. Siga las mismas instrucciones para las cuerdas centrales; cósalas a 2 cm

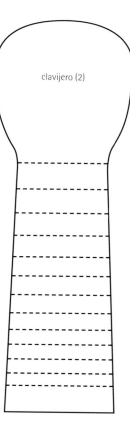

clavijero (2)

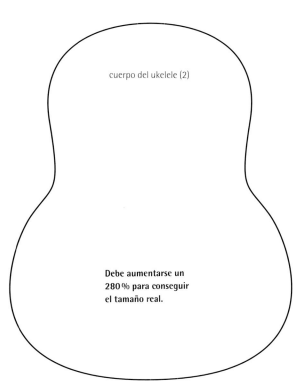

cuerpo del ukelele (2)

**Debe aumentarse un
280 % para conseguir
el tamaño real.**

de cada extremo. Tire de las cuerdas
exteriores 1,5 cm hacia dentro y sujételas
con alfileres a 1,25 cm por encima
del traste superior. Alinee las cuerdas
interiores entre las exteriores con
0,5 cm de separación. Cosa las cuerdas
en las clavijas.

Corte una pieza de fieltro blanco de
1 × 6 cm y cósala sobre lo que acaba
de coser. Corte una pieza de fieltro
negro de 2,5 × 7,5 cm; céntrela
y cósala sobre las cuerdas inferiores.

Con C y el ganchillo de 4 mm, monte
6 pd en un anillo mágico y 1pst para
unir. Tire de la cuerda central para tensar
el agujero. Confeccione 3 más y cosa
sobre los nudos de las cuerdas. Corte una
pieza de fieltro negro de 2,5 × 7,5 cm
y céntrela sobre las cuerdas inferiores.
Cosa con pespunte en torno al borde
con hilo negro.

seta de fieltro con aguja

véanse variaciones en la página 228

materiales

- fibra de lana roja y blanca, aproximadamente 15 g de cada una
- aguja para fieltro de tamaño 38
- almohadilla de espuma para trabajar fieltro con aguja
- retales de tela: blanca para los puntos y a cuadros para la hierba
- hilo de bordar
- aguja de coser
- relleno

dimensiones finales: 10 cm de altura; 5 cm de anchura

instrucciones

pie

Tome una sección de fibra blanca de 30 × 7,5 cm y enróllela formando un tubo. Empiece en un extremo y apriete la fibra; vaya metiendo los lados a medida que trabaja. Debería terminar con un tubo de 3 × 7,5 cm. Colóquelo a lo largo sobre la almohadilla de espuma. Pinche la fibra con la aguja hasta que la perciba firme también en as partes superior e inferior del tubo (que deben quedar planas). Para que la base quede un poco más ancha que la parte superior, tome un poco de fibra blanca y enróllela alrededor de la base. Pínchela y alísela con la aguja hasta que mida 3 cm (la parte superior, 2,25 cm) de diámetro. Deje la base tan plana como le sea posible.

sombrero

Tome una sección de fibra roja de 76 × 5 cm y forme un óvalo. Colóquelo sobre la almohadilla de espuma y pinche toda la superficie con la aguja. Cuando empiece a cobrar firmeza, pero sin llegar a estar firme del todo, dé forma al sombrero redondeando la parte superior y aplanando la inferior con la aguja. Continúe trabajando la fibra para conseguir la forma correcta.

montaje

Sujete el sombrero de la seta boca abajo y coloque encima el extremo más estrecho del pie. Pinche con la aguja en ángulo en la base y el sombrero. Continúe trabajando las dos piezas hasta que queden perfectamente unidas.

detalles

Corte tres círculos pequeños de tela blanca, de diferentes tamaños, y cósalos con punto de festón en el sombrero de la seta. Corte dos capas de hojas de hierba para cada brizna y cósalas con punto de festón; rellénelas y cósalas a la base.

velero de tela

véanse variaciones en la página 229

materiales

- tela: Robert Kaufman Kona Cotton (100 % algodón), 25 cm de Bone; P&B Spectrum Solids (100 % algodón), 25 cm de Camel
- fieltro de lana de color crema
- papel de calcar
- alfileres de costura
- aguja de coser
- hilo de coser a juego con la tela
- máquina de coser (opcional)
- relleno
- 1 palillo de bambú
- cinta de enmascarar
- cola para tejido
- cinta azul de 0,5 cm de anchura

dimensiones finales: 18 cm de longitud; 10 cm de anchura; 28 cm de altura

instrucciones

embarcación

Calque el patrón de la embarcación en tela Camel y córtelo. Sujete con alfileres los lados en torno al corte inferior y cósalos con un margen de costura de 0,5 cm. Sujete con alfileres las tres esquinas de la pieza de 6 cm y cósalas con un margen de costura de 0,75 cm. Sujete con alfileres la última pieza cortada a la parte superior y cosa alrededor de los bordes; deje una abertura de 9,5 cm en la parte posterior.

Dele la vuelta a la embarcación y rellénela. Ciérrela con puntada invisible. Practique un pequeño agujero en la parte superior de la barca, a 4,5 cm de la parte posterior y de los lados.

Corte un círculo de fieltro de lana de 2 cm de diámetro y practique un pequeño agujero en el centro. Corte el palillo de bambú de manera que mida 26,5 cm; corte el extremo en punta y cúbralo con un poco de cinta de enmascarar. Introduzca el palillo (con la cinta hacia abajo) en el círculo de fieltro y a través del agujero que se ha hecho en la superficie de la embarcación. Pegue el fieltro y el palillo a la embarcación.

Corte una tira de 46 cm de cinta azul y péguela alrededor de la embarcación, a 1,25 cm por debajo de la superficie. Añada unas gotas de cola en los extremos cortados para evitar que se deshilache.

vela

Calque dos capas de tela Bone para la vela y córtelas. Sujétela con alfileres y cosa los tres bordes con los lados derechos juntos. Deje una abertura de 5 cm en la parte inferior derecha y cosa con un margen de costura de 1 cm.

Gire la tela y doble 5 cm hacia dentro de la abertura. Plánchela.

Cosa en línea recta siguiendo el lado de la tela, a 1 cm del borde, a fin de crear el hueco para el palillo. Cosa con puntada invisible la abertura de 5 cm e introduzca la vela a través del palillo. Añada una gota de cola en la base de la vela y en el palillo para asegurarla.

**Debe aumentarse un 600%
para conseguir el tamaño real.**

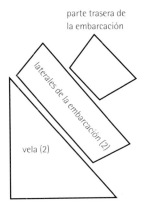

parte
superior
de la
embarcación

base de la
embarcación

parte trasera de
la embarcación

laterales de la embarcación (2)

vela (2)

materiales

- hilo: Brown Sheep
  Shepherd's Shades
  (100 % lana, 100 g, 120 m),
  1 ovillo de (A) Pearl, (B) Fire;
  Brown Sheep Nature Spun
  Worsted (100 % lana, 100 g,
  224 m), 1 ovillo de (C)
  Pepper
- ganchillo de 6,5 mm
- relleno
- aguja de tapicería
- alfileres de costura

tensión: 3 ps en 4 filas = 2,5 cm
dimensiones finales: 12 cm
de altura; 12 cm de diámetro

tambor de ganchillo

véanse variaciones en la página 230

instrucciones

Con A, cd 2.

V1: 8 cd en la 2.º cd desde el ganchillo.

V2: 2 pd en cada p, 1pst para unir – 16 ps.

V3: cd 1, [pd en el siguiente p, 2 pd en el siguiente p], 1pst para unir – 24 ps.

V4: cd 1, [pd en los 2 siguientes, 2 pd en el siguiente p], 1pst para unir – 32 ps.

V5: cd 1, [pd en los 3 ps siguientes, 2 pd en el siguiente p], 1pst para unir – 40 ps.

V6: cd 1, [pd en los 4 ps siguientes, 2 pd en el siguiente p], 1pst para unir – 48 ps.

V7: cd 1, [pd en los 5 ps siguientes, 2 pd en el siguiente p], 1pst para unir – 56 ps.

La siguiente vuelta empezará el cuerpo del tambor.

V8: cd 1, pd en la lazada trasera solo en cada p, 1pst para unir.

V9: cd 1, pd en cada p, 1pst para unir.

V10: cd 1, pd en cada p, 1pst para unir. Ate A, una B.

V11: repita la v8.

V12–19: cd 1, pd en cada p, 1pst para unir.

V20: cd 1, pd en cada p, 1pst para unir. Ate B, una A.

V21: cd 1, 1pst suelto en la lazada delantera solo en cada p alrededor, 1pst para unir.

V22: cd1, pd en la lazada trasera solo en cada p alrededor, 1pst para unir.

V23–24: cd 1, pd en cada p, 1pst para unir.

V25: cd 1, solo en la lazada trasera [pd en los 5 ps siguientes, pd2j] alrededor, 1pst para unir - 48 ps.

V26: cd 1, [pd en los 4 ps siguientes, pd2j], 1pst para unir – 40 ps.

V27: cd 1, [pd en los 3 ps siguientes, pd2j], 1pst para unir - 32 ps.

V28: cd 1, [pd en los 2 ps siguientes, pd2j], 1pst para unir - 24 ps.

Empiece a rellenar y continúe hasta el final.

V29: cd 1, [pd en el siguiente p, pd2j] alrededor, 1pst para unir – 16 ps.

V30: cd 1, pd2j alrededor, 1pst para unir – 8 ps.

Rompa el hilo, teja alrededor del círculo y tense para cerrar. Ate y oculte los extremos por dentro.

El diámetro del tambor debería medir 40 cm. Mida cuatro puntos con 10 cm de separación por debajo del borde blanco y coloque un alfiler en cada punto. Repita el proceso para el borde inferior, pero centre los puntos entre los puntos superiores. Corte una hebra de C de 89 cm y haga un nudo en cada punto con una aguja de tapicería. Empiece en uno de los puntos superiores, pase al inferior y vuelva a subir para formar varias V. Cuando termine, ate y oculte los extremos por dentro.

planta del dinero

véanse variaciones en la página 231

materiales

- hilo: Brown Sheep
  Shepherd's Shades (100 %
  lana, 100 g, 120 m), 1 ovillo
  de (A) Wintergreen, (B)
  Chestnut; Brown Sheep
  Lamb's Pride Worsted
  (85 % lana, 15 % mohair,
  100 g, 175 m), 1 ovillo
  de Orégano
- fieltro de mezcla de lana
  y rayón en color verde oliva
- adp de 6,5 y 5 mm
- relleno
- limpiapipas
- aguja de bordar

tensión: 4 ps en 5 filas = 2,5 cm
dimensiones finales: 25 cm
de altura; 9 cm de anchura

instrucciones
maceta
Con A y adp de 6,5 mm:
M 8 ps y divida entre tres agujas.
Una en redondo.

V1: tpd.
V2: pdr en cada p – 16 ps.
V3-5: tpd.
V6: pdr en cada p – 32 ps.
V7: pr.
V8-20: tpd.
V21-23: pr.
V24-26: cambiar a B y tpd.
Empiece a rellenar y continúe
hasta el final.
V27: 2pdj alrededor – 16 ps.
V28-30: tpd.
V31: 2pdj alrededor – 8 ps.
R y rompa el hilo, pero deje
suficiente cantidad para coser
el tallo.

planta
Con C y adp de 5 mm, M 4 ps.
Teja en cordón de 10 cm, R y teja
los extremos. Doble la punta
del limpiapipas e introdúzcala
en el cordón. Deje que el resto
del limpiapipas salga por fuera.

Calque el patrón de la hoja y corte
una doble capa de fieltro para
10 hojas. Con hilo de bordar, cosa
con pespunte los bordes de cada
hoja (2 piezas juntas); empiece

por la base. Cosa cada hoja con
el hilo sobrante a medida que va
acabando. Cosa las hojas en pares
opuestos con una separación
aproximada de 1,25 cm. Oculte los
extremos dentro del tallo. Doble
la parte inferior del limpiapipas
y empújelo por el agujero central
de la maceta. Dé algunas puntadas
con el resto de hilo marrón
para fijar el tallo.

El patrón es a tamaño real.

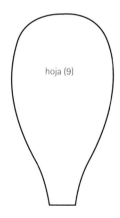

hoja (9)

martillo de ganchillo y fieltro *véanse* variaciones en la página 232

véanse variaciones en la página 232

materiales

- hilo: Brown Sheep Nature Spun Worsted (100 % lana, 100 g, 224 m), 1 ovillo de Red Fox
- 1 lámina de fieltro gris claro de 23 × 30 cm
- ganchillo de 4 mm
- aguja de tapicería
- relleno
- cartulina
- papel de calcar
- alfileres de costura
- máquina de coser (opcional)
- aguja de coser
- hilo de coser gris y rojo
- rotulador para tejidos

tensión: 5 ps en 6 filas = 2,5 cm
dimensiones finales: 12 cm de longitud; 3 cm de anchura; 28 cm de altura

instrucciones

mango

Con el hilo y el ganchillo, cd 6.

V1: empiece en la 2.º cd desde el ganchillo, pd en los 5 cd siguientes, 2 pd en la última cd.

V2: continúe tejiendo la parte posterior de la cadena, pd en las 5 cd siguientes, 2 pd en la última cd.

V3: trabaje en redondo para formar un óvalo. [Pd en los 5 ps siguientes, 2 pd en los 2 ps siguientes] 2 veces – 18 ps.

Pd en cada p alrededor hasta que la pieza mida 14 cm. Rompa el hilo, teja los extremos y rellene.

cabeza

Trace el patrón de la cabeza del martillo. Doble el fieltro por la mitad con los lados derechos juntos y corte dos capas para la cabeza. Sujete los extremos con alfileres; deje el borde inferior abierto. Cosa alrededor del borde con un margen de costura de 0,5 cm.

Dé la vuelta a la pieza y empuje las esquinas hacia fuera. Rellene la cabeza y sujétela con alfileres a la parte superior interior del mango, con el borde del fieltro a 1,25 cm por debajo de la abertura del mango.

Cosa con hilo rojo las dos piezas. Oculte los extremos por dentro.

**Debe aumentarse un 330 %
para conseguir el tamaño real.**

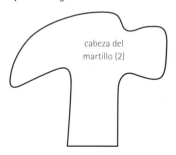

cabeza del martillo (2)

dirigible de punto

véanse variaciones en la página 233

materiales

- hilo: Brown Sheep Lamb's Pride Bulky (85% lana, 15% mohair, 100 g, 114 m), 1 ovillo de Pumpkin
- adp de 6,5 mm
- marcador de puntos
- relleno
- aguja de tapicería

tensión: 3,5 ps en 4,5 filas = 2,5 cm

dimensiones finales: 16,5 cm de longitud; 8,25 cm de anchura; 8,25 cm de altura

instrucciones

M 8 ps, divídalos entre tres agujas, coloque el marcador en la aguja y una en redondo. Utilice los puntos montados como guía para el final del círculo.

V1 y todas las filas impares: tpd.
V2: [tpd4, 1adr] 2 veces – 10 ps.
V4: [tpd5, 1adr] 2 veces – 12 ps.
V6: [tpd6, 1adr] 2 veces – 14 ps.
V8: [tpd7, 1adr] 2 veces – 16 ps.
V10: [tpd8, 1adr] 2 veces – 18 ps.
V12: [tpd9, 1adr] 2 veces – 20 ps.
V14: [tpd10, 1adr] 2 veces – 22 ps.
V16: [tpd11, 1adr] 2 veces – 24 ps.
V18: [tpd12, 1adr] 2 veces – 26 ps.
V20: [tpd13, 1adr] 2 veces – 28 ps.
V22: [tpd14, 1adr] 2 veces – 30 ps.
V24: tpd.
V26: [tpd3, 2pdj] 6 veces – 24 ps.
V28: [tpd2, 2pdj] 6 veces – 18 ps.
Empiece a rellenar y continúe hasta el final.
V30: [tpd1, 2pdj] 6 veces – 12 ps.
V32: 2pdj alrededor – 6 ps.
Rompa el hilo y páselo por los 6 ps.
Teja los extremos.

aletas

M 5 ps y teja 5 filas en p de liga.
R con suficiente hilo para coser.
Teja tres aletas más, espácielas de forma regular y cosa alrededor de la punta estrecha del dirigible.
Teja los extremos.

peonía de tela

véanse variaciones en la página 234

materiales

- hilo: Brown Sheep Nature Spun Worsted (100% lana, 100 g, 224 m), 1 ovillo de Lemon Grass
- tela 100% algodón, 25 cm de color rosa polvo
- fibra de lana, 7 g
- aguja para fieltro de tamaño 38
- aguja de coser
- almohadilla de espuma para trabajar fieltro con aguja
- hilo de coser rosa
- agujas de doble punta de 4,5 mm
- alambre de 18
- hilo de bordar de color verde

dimensiones finales: 10 cm de longitud; 15 cm de anchura

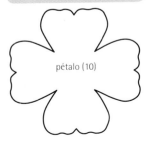

pétalo (10)

Debe aumentarse un 480% para conseguir el tamaño real.

instrucciones

peonía

Siga las instrucciones para hacer la pelota de fieltro con aguja (*véase pág.* 48) con una bola de fibra blanca de 5 cm de diámetro. Será el centro de la peonía. Calque 10 pétalos de tela rosa polvo y córtelos. Distribúyalos de manera que no se alineen exactamente unos encima de otros. Coloque la bola de fieltro en el centro y frunza los pétalos a su alrededor. Utilice un hilo rosa claro para coser desde la base exterior de la flor hasta la mitad de la bola y frunza los pétalos de nuevo. Empújelos en torno al interior de la peonía y dé algunas puntadas para asegurarlos. Oculte los extremos en el interior.

tallo

Con hilo y adp de 4,5 mm, M 4 ps. Cree un cordón de 25 cm. Continúe para confeccionar el punto donde se unen el tallo y la flor.

F1: pdr en cada p y divida entre 3 adp. Una para trabajar en redondo – 8 ps.
V2: tpd.
V3: pdr en cada p – 16 ps.
V4: tpd.
V5: pdr en cada p – 32 ps.
V6–10: tpd.
R y teja los extremos.
Corte un alambre de 50 cm. Utilice una aguja larga y fina para abrir un agujero en la base de los pétalos y empujar el alambre. Doble 5 cm de alambre y envuélvalo alrededor del tallo. Doble el otro extremo del alambre de manera que quede redondeado. Cubra el alambre con el tallo tejido, con el extremo más ancho en la parte superior. Cosa el tallo a la base de la flor con hilo verde oliva. Doble el alambre en la parte inferior del tallo y realice una lazada con el hilo en la parte inferior para asegurarlo.

teclado de punto

véanse variaciones en la página 235

materiales

- hilo: Brown Sheep
  Shepherd's Shades (100 %
  lana, 100 g, 120 m), 1 ovillo
  de (A) Fire, (B) Pearl; Brown
  Sheep Cotton Fleece (80 %
  algodón, 20 % lana merino,
  100 g, 196 m), 1 ovillo de (C)
  Cavern
- fieltro negro
- agujas de tejer de 6,5 mm
- relleno
- aguja de tapicería
- ganchillo de 3,75 mm
- tiza de sastre
- hilo de coser negro
- cola para tejido (opcional)

tensión: 4 ps en 5 filas = 2,5 cm
dimensiones finales: 33 cm
de longitud; 6 cm de anchura;
14 cm de altura

instrucciones

parte delantera

Con A, M 48 ps.
F1–10: empiece con una fila de pd,
trabaje en pj.
F11 (LD): tpd6, cambie a B y tpd36,
cambie a A y tpd6.
F12–30: continúe en pj
manteniendo el patrón de color
establecido en la fila 11.
R con A y dejar suficiente hilo
para coser.

parte posterior

Con A, M 48 ps y empiece con una
fila de pd, trabaje 30 filas en pj. R
y teja los extremos.

Con los lados del revés juntos, una
los bordes con punto colchonero
(la costura se girará y quedará por
dentro). Deje uno de los extremos
cortos abierto. Rellene la pieza
y cosa para cerrar. Oculte los
extremos por dentro.

teclas

Con el ganchillo y C, cd 12 y rompa
el hilo; deje suficiente cantidad para
atar. Confeccione seis líneas como

esta. Con C, cd 20 y rompa el hilo;
deje suficiente cantidad para anudar.
Realice dos líneas como esta.

Sujete con alfileres las líneas del
teclado, con 2,5 cm de separación,
en la sección blanca del teclado.
Alinee con el borde inferior rematado.
Sujete las líneas con alfileres en este
orden, empezando por la izquierda:
2 cortas, 1 larga, 3 cortas, 1 larga,
1 corta. Anude el hilo sobrante
en cada extremo sobre el teclado,
estirándolo un poco. Cosa a mano
con hilo negro sobre las líneas
para asegurarlas.

Mida, dibuje y corte seis teclas
de fieltro negro de 5,5 × 2 cm.
Coloque las teclas encima de las
líneas cortas y péguelas con una
gota de cola o bien hilvánelas.
Cosa con punto de festón, con hilo
negro, alrededor de los bordes
de cada tela.

materiales

- hilo: Brown Sheep Shepherd's Shades (100 % lana, 100 g, 120 m), 1 ovillo de Sunshine
- fieltro de lana gris
- ganchillo de 6,5 mm
- relleno
- aguja de tapicería
- cola para tejido
- hilo de bordar blanco
- aguja de coser

tensión: 3 ps en 4 filas = 2,5 cm
dimensiones finales: 18 cm de longitud; 7,5 cm de anchura; 10 cm de altura

Debe aumentarse un 200 % para conseguir el tamaño real.

ventana (6)

propulsor central

hélice (4)

submarino de ganchillo

véanse variaciones en la página 236

instrucciones

submarino

Con hilo y ganchillo, teja 8 pd en un anillo mágico, 1pst en el primer pd para unir.

V1: cd 1, 2 pd en cada cd, 1pst en el primer pd para unir – 16 ps.

V2: cd 1, [pd en el siguiente p, 2 pd en el siguiente p] alrededor, 1pst en el primer pd para unir – 24 ps.

V3: cd 1, [pd en los 2 ps siguientes, 2 pd en el siguiente p] alrededor, 1pst en el primer pd para unir – 32 ps.

V4–25: cd 1, pd en cada p, 1pst en el primer pd para unir. Empiece a rellenar y continúe hasta el final.

V26: cd 1, [pd en los 2 ps siguientes, pd2j], 1pst en el primer pd para unir – 24 ps.

V27: cd 1, [pd en el siguiente p, pd2j], 1pst en el primer pd para unir – 16 ps.

V28: cd 1, pd2j, 1pst en el primer pd para unir – 8 ps.

Rompa el hilo y teja los extremos.

torre

Con hilo y ganchillo, pc 7, girar.

F1: empezar en la 2.º pc desde el ganchillo, pd en los 6 ps siguientes, 2 pd en el último p, gire.

F2: continúe en el extremo posterior de la cadena, pd 6, 2 pd en el último p.

F3: continúe en redondo, pd 6, 2 pd en los 2 ps siguientes, 6 pd, 2 pd en los 2 ps siguientes, 1pst en el primer pd para unir – 20 ps.

V4–7: pc 1, pd en cada p, 1pst en el primer pd para unir. Rompa el hilo, pero deje suficiente cantidad para coser.

aletas

Con A, cd 5, girar.

F1: empiece en el 2.º desde el ganchillo, pd en los 4 ps siguientes, girar.

F2–4: cd 1, pd en los 4 ps siguientes, girar.

Rompa el hilo, pero deje suficiente cantidad para coser y tejer tres aletas más.

montaje

Centre una aleta a cada lado de la torre y cosa con el hilo sobrante. Teja los extremos. Rellene la torre y cosa en la parte superior del submarino; empiece a 4 cm del extremo delantero. Oculte los extremos por dentro. Centre una aleta a cada lado del submarino y cósalas a 1,25 cm de la parte posterior. Oculte los extremos por dentro.

Calque cuatro hélices de fieltro gris y córtelas. Sujete juntos los extremos en punta de cada hélice y cósalos. Cosa la hélice completa en el centro posterior del submarino. Corte un círculo de fieltro gris de 1,25 cm y péguelo en el centro de la hélice para cubrir las puntadas. Calque seis ojos de buey de fieltro gris y córtelos. Centre tres de ellos en un lado, a 3 cm por debajo de la torre. Sujételos con alfileres y cósalos con pespunte, con hilo blanco. Repita el proceso en el otro lado.

cactus de ganchillo

véanse variaciones en la página 237

materiales

- hilo: Brown Sheep Nature Spun Worsted (100 % lana, 100 g, 224 m), 1 ovillo de (A) French Clay, (B) Lemon Grass, (C) Peruvian Pink
- ganchillo de 4 mm
- hilo de coser
- relleno

tensión: 5 ps en 6 filas = 2,5 cm
dimensiones finales: 12 cm de altura; 7,5 cm de anchura

instrucciones

cactus

Con B, cd 16.

F1: pd 2.º cd desde el ganchillo, pd en la lazada posterior solo en los 15 cd siguientes, girar – 15 ps.

F2–25: cd 1, pd en la lazada posterior solo en los 15 ps siguientes, girar. 1pst ambos extremos 7,5 cm, haciendo que la costura se una con el acanalado. Cosa con punto corrido un extremo y ténselo para crear la parte superior del cactus. Asegúrelo y oculte los extremos.

maceta

Con A, cd 2.

F1: 8 pd en la 2.º cd desde el ganchillo.

F2: 2 pma en cada p, 1pst para unir – 16 ps.

V3: cd 2, pma en el mismo p, (2 pma en el siguiente p, pma en el siguiente p) alrededor, 1pst para unir – 24 ps.

V4: cd 1, pd bajo el borde por detrás del primer p de la vuelta anterior. Trabaje bajo ese borde, no en la V normal. De ese modo, la base quedará plana.

V5–8: cd 2, pma en el mismo p, pma en los 23 ps siguientes, 1pst para unir.

V9: cd 2, pma en el mismo p, pma en el siguiente p, [2pma en el siguiente p, pma en los 2 ps siguientes] alrededor, 1pst en la 2.º cd girado para unir – 32 ps.

V10: cd 2, pma en el mismo p, pma en los 31 ps siguientes, 1pst para unir.

V11: cd 2, pma en el mismo p, pma en los 2 ps siguientes, [2 pma en el siguiente p, pma en los 3 ps siguientes] alrededor, 1pst en la 2.º cd girado para unir – 40 ps.

V12: cd 2, pma en el mismo p, pma en los 39 ps siguientes, 1pst para unir.

Rompa el hilo, pero deje suficiente cantidad para coser.

flor del cactus

Con C, monte 6 pd en un anillo mágico, 1pst en el primer pd para unir.

V1: cd 1, [pd en el siguiente p, cd 5, pd en el mismo p] alrededor, 1pst para unir.

Rompa el hilo, pero deje suficiente cantidad para coser. Confeccione otra flor.

montaje

Doble el borde de la maceta 2 cm hacia abajo y cosa el borde inferior al cuerpo de la misma con punto corrido. Rellene la maceta y el cactus; cosa la base de este último al borde superior de la maceta con punto corrido. Utilice el hilo de color arcilla para coser a través del cactus hasta la parte delantera de la maceta. Cuando termine, tire del hilo a través del centro inferior de la maceta hasta la parte superior del cactus a fin de aplanar el fondo para que la base quede lisa. Asegúrelo con un pequeño nudo en la parte superior, que las flores ocultarán. Cosa ambas flores sobre la parte superior del cactus y oculte los extremos.

variaciones

máquina de coser blandita

véase el diseño básico de la página 189

máquina de coser de patchwork

Utilice retales para confeccionar una máquina de coser de *patchwork*. Planche los bordes y cósalos para obtener una pieza de tela del tamaño suficiente para el patrón. Calque, corte y cosa siguiendo las instrucciones para la máquina de coser de la página 189.

botones de fieltro

Corte dos círculos de fieltro de 5 cm de diámetro y use un punzón para hacer dos agujeros en el centro. Cosa las dos piezas juntas siguiendo el borde exterior; emplee punto corrido y un hilo de un color que contraste. Dé pequeñas puntadas de festón en torno a cada uno de los agujeros con el mismo hilo.

tijeras blanditas

Cree unas tijeras de tela delineando el contorno de unas tijeras reales (abiertas o cerradas, según su nivel de ambición) sobre un papel de calcar. Deje 0,5 cm extra alrededor para la costura. Sujete con alfileres la pieza y cósala con el revés hacia usted. Deje una abertura de 5-7,5 cm. Dé la vuelta a la pieza, rellénela y ciérrela con puntada invisible.

dedal de fieltro

Corte una tira de fieltro de 6 × 3 cm. Cosa a mano los bordes de 3 cm para formar un tubo. Corte un círculo de fieltro de 2 cm y cósalo sobre el tubo. Dé pequeñas puntadas en la parte superior del dedal para imitar la textura de una pieza de metal.

interruptores con botones

Cosa unos botones *vintage* a mano en la máquina de coser en lugar de añadir los de ganchillo y fieltro; así le dará cierto encanto.

variaciones

cámara de punto

véase el diseño básico de la página 190

cámara de ganchillo
Confeccione dos rectángulos de 7,5 × 12,5 cm con punto bajo y una tira de 4 × 40 cm. Sujete con alfileres la tira y cósala siguiendo los bordes de los dos rectángulos; rellene la pieza antes de cerrarla. Siga las instrucciones de la cámara de punto para representar los detalles de la lente, el disparador y el flash.

cámara réflex de punto y ganchillo
Siga las instrucciones de la cámara de punto, pero aumente la altura de la lente. Siga los pasos para la lente y continúe tejiendo después de la vuelta 5 como se indica. V6: cd 1, pb en la lazada posterior solo en cada p alrededor, 1pst para unir (36 ps). Continúe con pb en cada p de alrededor hasta que la pieza mida 5 cm de altura. Rompa el hilo, pero deje suficiente para coser; cosa la lente en el centro delantero de la cámara. Rellene antes de cerrar.

correa para cámara
Confeccione con ganchillo una correa de 5 × 63 cm para su cámara. Corte cuatro piezas cuadradas de fieltro de 5 cm y corte la mitad inferior en un triángulo. Cosa dos capas juntas y una el borde superior de 5 cm al extremo de 5 cm de la correa de ganchillo. Repita el proceso para el otro extremo. Sitúe los ojales encima de las puntas del triángulo. Cosa un botón a cada lado de la cámara, cerca de la parte superior, y abotone la correa.

cámara polaroid de fieltro
Confeccione una polaroid cuadrada y sencilla, que le servirá de cojín. Utilice fieltro blanco para el cuerpo principal, un cuadrado de 12,5 cm. Corte una tira negra de 12 × 3 cm y cósala en el extremo inferior del cuadrado. Siga las instrucciones indicadas para hacer la lente de ganchillo y cósala en el centro del cuadrado. Corte un cuadrado de fieltro negro, de 2,5 cm, a modo de visor, y cósalo en la esquina superior izquierda. Corte un círculo de fieltro negro de 2,5 cm y uno rojo de la misma medida. Cosa el botón negro a la izquierda de la lente y el rojo a la derecha.

fotos polaroid de fieltro
Confeccione fotos polaroid utilizando fieltro blanco con entretela entre las capas. Corte piezas de 9 × 11 cm; la foto será un cuadrado de 7,5 cm, que estará más cerca de la parte superior del marco. Corte diferentes escenas en el marco y cósalas.

variaciones

teléfono móvil de ganchillo

véase el diseño básico de la página 193

tableta
Aumente las medidas del teléfono móvil en un 100% para confeccionar una tableta. Utilice hilo negro en lugar de azul para la base.

smartphone de punto
Confeccione dos rectángulos de 7,5 × 10 cm y cósalos con punto colchonero. Rellénelos un poco antes de coserlos para cerrarlos. Siga las instrucciones del teléfono de ganchillo para hacer la pantalla y los iconos de las aplicaciones.

teléfono plegable
Corte dos piezas de fieltro de 5 × 7,5 cm para la pantalla y el teclado. Cosa los números en el teclado y un número de teléfono en la pantalla con un hilo de un color que contraste. Confeccione con ganchillo dos rectángulos de 5 × 7,5 cm y cosa un rectángulo de fieltro en uno de ganchillo. Introduzca dos imanes en las esquinas antes de rellenar el teléfono para que este se mantenga cerrado.

juego bordado
Siga el patrón para el teléfono móvil y borde su juego favorito en la pantalla.

chip de sonido de llamada
Añada un chip de sonido de llamada en el centro del teléfono antes de coserlo para cerrarlo: tendrá un teléfono interactivo.

variaciones

reloj de fieltro

véase el diseño básico de la página 194

reloj de pulsera
Reduzca el patrón a un círculo de 5 cm y dé pequeñas puntadas para reproducir los números. Utilice un botón de 0,5 cm para el centro. Añada una banda de tela en la parte posterior a modo de pulsera. Cosa un velcro en los extremos de la banda para mantener la pulsera cerrada.

reloj de números con velcro
Con este reloj, el aprendizaje resulta muy instructivo porque los números son de quita y pon: los niños tendrán que colocarlos ordenados. Borde los números en círculos de fieltro y, a continuación, cosa piezas de velcro en la parte posterior de los números y en la parte del reloj donde deben ir los mismos.

reloj de ganchillo
Confeccione dos círculos de ganchillo de 25 cm de diámetro e introduzca un círculo de fieltro rígido de la misma medida entre ellos. Cosa juntos los bordes de los círculos de ganchillo y siga el resto de las instrucciones del reloj de fieltro en lo que respecta a los números y las manecillas. Añada una cuerda en la parte posterior para colgarlo en la pared.

reloj de cuco
Corte la forma de una casa de 35,5 cm de anchura y 46 cm de altura en un fieltro rígido de un color que contraste con el reloj. Cosa el reloj en el centro de una de las piezas de fieltro. Coloque el fieltro rígido entre las capas de fieltro y cósalas. Corte cuatro figuras con forma de piña de 5 × 10 cm, de fieltro amarillo, y dos capas juntas para confeccionar los «pesos». Cuélguelos con hilo de algodón a diferentes alturas desde la parte inferior del reloj de cuco.

reloj de bolsillo
Para crear el reloj de bolsillo gigante del Conejo Blanco de *Alicia en el País de las Maravillas*, siga el patrón del reloj: haga un círculo de 15 cm y borde los números. Redimensione las manecillas para que encajen en el reloj. Añada una lazada de hilo en la parte superior del reloj y confeccione una cadeneta de 64 cm para sujetarlo a la ropa.

variaciones

automóvil de punto

véase el diseño básico de la página 197

autobús escolar de ganchillo

Confeccione dos rectángulos amarillos de ganchillo de 18 × 7,5 cm para los laterales del autobús, una tira amarilla de 33 × 7,5 cm para coser a lo largo de los dos extremos de 7,5 cm y uno de los dos de 18 cm para las partes delantera, superior y trasera. Confeccione un rectángulo negro de 18 × 7,5 cm para la base. Cosa las piezas y rellénelas. Corte ventanas de fieltro negro para los parabrisas y la puerta, así como piezas más pequeñas para las ventanas laterales, y cóselas. Cree dos cadenetas negras para los lados del autobús y unas ruedas tal como se indica para el automóvil de punto; cóselo todo al autobús. Añada otros detalles, como los faros y una señal de stop.

caravana

Confeccione una caravana para el automóvil. Corte dos rectángulos de fieltro de 7,5 × 10 cm y redondee las esquinas. Corte una tira de fieltro de 7,5 cm de anchura y con la longitud suficiente para coser siguiendo los bordes de los laterales. Cosa la pieza y rellénela antes de cerrarla. Añada ventanas y una puerta de fieltro. Haga dos ruedas tal como se indica para el automóvil de punto. Cósalas a dos tercios de la parte delantera de la caravana. Incluya un gancho de fieltro en la parte delantera de la caravana y una argolla en la trasera del automóvil para unir los dos elementos.

ruedas de madera

Introduzca dos clavijas de madera de 15 cm a través del vehículo, a lo ancho, y asegure unas ruedas de madera en cada extremo. ¡El automóvil se moverá!

coche de policía

Siga las instrucciones del automóvil de punto y, con hilo negro, haga las secciones del capó y el maletero; use hilo blanco para los laterales y el techo. Añada las luces de emergencia con fieltro azul, blanco y rojo tejido con aguja.

taxi

Utilice un hilo de color amarillo intenso para crear un taxi y cinta blanca y negra para la decoración. Cosa la cinta a los lados, por debajo de las ventanas (puede usar hilo blanco y negro para coserla). Cosa la palabra «taxi» en una pieza de fieltro y esta, a su vez, en el techo, mirando hacia delante.

variaciones

ukelele de tela y ganchillo

véase el diseño básico de la página 198

guitarra acústica
Multiplique todas las medidas y cantidades por dos para confeccionar una guitarra. Incluya seis cuerdas y dos clavijas más.

guitarra eléctrica
Cree una guitarra eléctrica siguiendo el patrón del ukelele. Corte los laterales de la guitarra de manera que apunten hacia arriba, como si fuesen cuernos. Haga el lado izquierdo más alto que el derecho. Amplíe la longitud de la tira lateral para ajustarla en torno a la guitarra. Incluya seis cuerdas y dos clavijas más en la parte superior. Añada líneas o rayos a modo de decoración.

violín
Siga el patrón del ukelele, pero utilice tela marrón. Omita las líneas del traste y cosa la base del cuello empezando a un tercio del cuerpo. Estreche la cabeza a la mitad de su tamaño en la parte superior. No añada la caja de resonancia y borde dos huecos con forma de f a cada lado del cuerpo. Corte dos piezas de fieltro de 6 × 5 cm y cósalas con una pieza de fieltro rígido en medio para confeccionar el puente. Cosa el borde inferior de 6 cm en línea recta y horizontal con respecto al cuerpo, en el centro de este (donde irán las cuerdas). Amplíe la pieza posterior negra que sujeta los extremos de la cuerda desde el tercio inferior del cuerpo hasta el final. Para crear el arco, siga las instrucciones para la caña de pescar (*véase* pág. 248).

banjo
Corte dos círculos blancos de 25 cm y una tira de tela de 80 × 6 cm y cósalo todo con los lados derechos juntos. Deje una abertura en el extremo, dele la vuelta a la pieza y rellénela antes de cerrarla. Siga el patrón del ukelele para el cuello y la cabeza, y cosa las piezas juntas.

chip de sonido
Añada un chip de sonido con varias canciones debajo de la caja de resonancia antes de acabar de rellenar la pieza y cerrarla. Tendrá un ukelele interactivo.

variaciones

seta de fieltro con aguja

véase el diseño básico de la página 203

seta sonajero

Envuelva una pelota con cascabel con fibra roja. Asegúrese de que dispone de suficiente lana para que la aguja no pinche la pelota cuando trabaje el fieltro. Acabará siendo un poco mayor que la del patrón, lo que dependerá del tamaño de la pelota. Cree la seta siguiendo el resto de las instrucciones. ¡Puede confeccionar dos maracas-seta!

casa de gnomos con forma de seta

Corte dos círculos de fieltro blanco de 15 cm de diámetro y una entretela para coser en medio. Corte dos rectángulos de fieltro blanco, de 12 cm de altura, para envolver el círculo de 15 cm con una entretela. Corte una puerta de 6 × 7,5 cm en la parte inferior del rectángulo y una pieza de fieltro rojo algo más grande que la puerta. Cosa la bisagra de la puerta en el borde derecho y añada un botón a modo de pomo. Trabaje con fieltro y aguja un sombrero de seta ligero para colocarlo encima de la casa. Cosa las dos piezas por los extremos. Corte las ventanas y los detalles y cóselos.

champiñones

Forme varios champiñones de 5 × 4 cm con fieltro y aguja. Siga las mismas instrucciones que para hacer la seta. Utilice una lana de color marrón medio para el sombrero y lana blanca para el pie.

setas enoki

Forme pies blancos largos y finos y sombreros pequeños y blancos para crear un conjunto de setas enoki. Una los pies por la base para agruparlas y añada las setas a su colección de comida de juguete.

setas portobello

Forme un sombrero de seta de 12,5 cm de anchura y un pie de 5 cm de anchura para obtener una seta portobello. Utilice lana de color marrón claro para la parte superior del sombrero y un tono más oscuro para la parte inferior. Cosa las laminillas con hilo marrón desde el centro y hacia los extremos de la parte inferior del sombrero.

variaciones

velero de tela

véase el diseño básico de la página 204

embarcación de remos
Para confeccionar una embarcación de remos, siga el mismo patrón que para hacer el velero, pero suprima la parte superior de tela y la vela. Corte una doble capa de fieltro y una entretela a modo de refuerzo. Cosa los bordes laterales y posteriores a la base de la embarcación y borde detalles de madera con hilo marrón. Cosa una «plancha» de madera de fieltro a modo de asiento dentro de la embarcación. Corte dos remos de fieltro de 12,5 cm.

barco pirata
Convierta el velero en un barco pirata utilizando tela negra para la vela, en la que puede coser un cráneo y dos tibias blancas (siga las mismas instrucciones que para añadir el rayo de la página 159).

canoa
Siga el mismo patrón que para hacer el velero, pero confeccione los dos extremos en punta. Cosa dos planchas de fieltro en el interior a modo de asientos. Ponga dos remos de 12,5 cm.

remolcador
Suprima la vela y añada una cabina en la parte superior delantera de la embarcación. Para ello, corte un cuadrado relleno de 6 cm en la parte superior del barco y cósalo. Agregue ventanas en la parte delantera y en los lados del cubo.

lancha motora
Incorpore una hélice de fieltro en la parte posterior de la embarcación para convertirla en una lancha motora. Utilice el mismo patrón que para hacer la hélice del submarino de ganchillo (*véase* pág. 219).

variaciones

tambor de ganchillo

véase el diseño básico de la página 207

pandereta

Para la parte superior blanca, siga el mismo patrón que para hacer el tambor de ganchillo; cambie a un hilo marrón para el reborde. Añada 2,5 cm más de altura y teja los extremos. Cosa unos cascabeles plateados en torno al reborde de la pandereta.

bongos

Cree dos tambores con ganchillo. Después de cambiar a rojo, continúe tejiendo hasta el final. Suprima las tiras negras y cosa los bongos juntos con cuatro tiras de fieltro para formar un prisma rectangular que conecte los lados de los bongos.

tambor de acero

Siga el patrón del tambor de ganchillo, pero utilice el mismo color en toda la pieza. Deténgase antes de tejer el círculo de la base y rompa el hilo. Teja los extremos. Corte un círculo de fieltro gris algo mayor que la base del tambor, de manera que se curve hacia este. Cosa las diferentes secciones para las notas en torno a los bordes y el centro del acero. Cosa el acero y el tambor con punto de festón; confeccione dos baquetas siguiendo el patrón para la caña de pescar (*véase* pág. 248).

tamboril

Añada una cinta de ganchillo para el cuello; sujétela en la parte superior del tamboril. La cinta debe medir 5 cm de anchura, y la longitud debe ser lo suficiente como para que el tamboril quede asentado en la cintura. Cósala al tambor.

tambor de fieltro

Cosa un tambor de fieltro con las mismas medidas que el de ganchillo. Cosa los detalles de la cuerda negra en V como se indica en el patrón. Añada un chip con sonidos de tambores o un sonajero antes de cerrar la pieza.

variaciones

planta del dinero

véase el diseño básico de la página 208

dionea atrapamoscas

Para confeccionar la maceta, la tierra y el tallo, siga las mismas instrucciones que para la planta del dinero. Corte dos piezas de fieltro de 4 × 6 cm y redondee las esquinas. Cosa el borde de 6 cm de ambas piezas juntas para formar la «boca» de la dionea atrapamoscas. Corte unos dientes finos de fieltro, de 2,5 cm, y cósalos en los bordes de la boca.

hierba en la maceta

Siga las instrucciones para tejer la maceta amarilla y monte los puntos después de tejer con el hilo amarillo. Corte tiras finas de hierba de fieltro verde de diferentes longitudes y con los extremos que acaben en punta. Confeccione suficiente hierba para llenar la maceta e introduzca las hojas. Será un nido perfecto para el saltamontes de la página 80.

bonsái

Confeccione una maceta más estrecha y siga las mismas instrucciones que para hacer el tallo de la planta del dinero a fin de crear un tronco marrón para un bonsái. Haga ramas de cordón tejido introduciendo un limpiapipas en el centro y cósalas al tronco principal. Utilice fibra de lana esponjosa para las hojas. Trabaje ligeramente el fieltro de las hojas con aguja y cósalo a las ramas.

brote

Utilice el patrón del cactus de ganchillo de la página 220 para confeccionar una pequeña maceta para un brote. Llene la maceta de fibra de lana marrón, como si fuera la tierra. Siga las instrucciones para la planta del dinero en lo que respecta al tallo, aunque en este caso tendrá 5 cm de altura. Cree dos hojas de la planta del dinero y cosa los extremos juntos en la parte superior del tallo para obtener un pequeño brote.

albahaca

Siga las mismas instrucciones que para hacer la planta del dinero; utilice el patrón de las hojas de albahaca de la pizza de ganchillo (*véase* pág. 124) para crear una albahaca en maceta.

variaciones

martillo de ganchillo y fieltro

véase el diseño básico de la página 211

destornillador de ganchillo y fieltro
Confeccione un destornillador a juego con el martillo, con el mismo hilo y el mismo fieltro. Empiece con el mango de ganchillo; monte 6 pd en un anillo mágico, 2 pd en cada p alrededor (12 ps). Pd en cada p alrededor hasta que la pieza mida 10 cm. Rellénela generosamente para que quede firme. Corte dos piezas de fieltro gris de 11,5 × 4 cm con forma de destornillador de cabeza plana. Cosa con los lados derechos juntos y dé la vuelta a la pieza. Rellénela y doble 1,25 cm del borde de manera que quede oculto en el mango. Cosa a mano.

llave inglesa (imagen)
Corte dos piezas de fieltro gris de 25 cm de altura para confeccionar una llave inglesa. Delinee el contorno de una llave inglesa real para dibujar el patrón. Añada espacio para el margen de costura antes de cortar. Cosa con los lados derechos tocándose y deje el extremo inferior abierto. Dé la vuelta a la pieza y rellénela. Cósala con puntada invisible para cerrar.

sierra de fieltro
Corte una hoja de sierra de fieltro rígido gris, de 25 cm, con pequeños triángulos a modo de dientes. Corte una doble capa de fieltro marrón para el asa y cósalas juntas con una entretela en medio. Cosa el asa al extremo de la hoja.

mazo de ganchillo y fieltro con aguja
Siga las instrucciones para el martillo y utilice hilo marrón oscuro para el asa. Forme la cabeza del mazo con una pieza de fibra de fieltro negro de 10 cm de longitud y 5 cm de diámetro. No olvide que la lana debe ser algo mayor que las dimensiones finales, ya que encogerá cuando la trabaje con la aguja. Si acaba siendo más pequeña de lo que pensaba, añada más fibra alrededor de la cabeza del mazo y continúe manipulándola hasta conseguir el tamaño adecuado.

cinturón de herramientas
Cosa un cinturón siguiendo la variación de la máscara de forajido (la de ninja) de la página 164. Añada anillas en D metálicas para atar el cinturón. Cosa ganchos en la parte delantera del cinturón para montar las herramientas confeccionadas (excepto la sierra). Incluya dos bolsillos de 10 × 7,5 cm que cuelguen del cinturón para meter los objetos pequeños (por ejemplo, cinta métrica y clavos).

variaciones

dirigible de punto

véase el diseño básico de la página 212

globo aerostático
Siga las mismas instrucciones que para hacer la pelota de fieltro de la página 48. Añada más lana en la parte inferior a fin de crear la forma de gota de un globo aerostático (boca abajo). Ponga rayas de diferentes colores trabajando el fieltro con aguja directamente en el globo. Corte una pequeña cesta cuadrada de fieltro y cósala; ate las cuatro esquinas con hilo y sujételas al globo. Puede colgar el globo en un móvil junto a las nubes de fieltro de la página 54 o bien solo con una muñeca o algún animal a bordo.

paracaídas
Cree un paracaídas rectangular para un muñeco. Corte un rectángulo de nailon de 11,5 × 19 cm. Doble los bordes 0,5 cm hacia el revés y cósalos. Sujete una tira de 20 cm en cada esquina y conéctelas en la parte inferior. A continuación, únalas en un nudo que los niños puedan atar a sus muñecos. Nota: este juguete no flota en el aire.

torpedo
Confeccione un torpedo siguiendo el mismo patrón que para hacer el dirigible, pero teja 30 ps en redondo después de la fila 22 para disponer de 7,5 cm más. Realice las filas 24–30 como en el patrón y siga el resto de las indicaciones para rellenar y añadir detalles.

cohete (imagen)
Siga el mismo patrón que para hacer el dirigible y cosa las aletas en el extremo opuesto de cuerpo. Utilice hilo azul para el cuerpo y rojo para las aletas. Corte un círculo de fieltro para añadir una ventana; cósalo en el centro del cuerpo.

móvil de dirigibles
Confeccione con fieltro y aguja cuatro dirigibles pequeños de 7,5 cm de longitud. Forme un cilindro apretado con el fieltro, algo mayor que el tamaño final. Pinche la lana por toda la superficie. Cree la cola en punta y más pequeña que la parte delantera. Compare la forma con el dirigible de punto para tener una referencia. Confeccione las aletas de la cola con fieltro y cósalas. Cuelgue los dirigibles de cuerdas atadas a dos clavijas, como en el móvil de pájaros de la página 39.

variaciones

peonía de tela

véase el diseño básico de la página 215

margarita de ganchillo

Forme una bola de fieltro amarillo con aguja, de 4-5 cm, para el centro de la margarita. Siga el patrón del ala de libélula de ganchillo (*véase* pág. 84) para confeccionar los pétalos con hilo blanco y un ganchillo más pequeño a fin de que los puntos queden más apretados. Confeccione suficientes pétalos para coserlos alrededor de la bola. Envuelva un cable de tensión grueso con tela verde y asegúrelo por arriba y por abajo con cola para tejido. Enrolle la parte superior del cable en la inferior de la bola de fieltro y rodee con tela verde el punto donde se unen la flor y el tallo; añada un poco de cola para fijar la tela.

tulipán de fieltro (imagen)

Corte seis pétalos de tulipán de fieltro morado, de 5 × 7,5 cm, y redondee todos los bordes. Corte un círculo de fieltro morado de 4 cm a modo de base y disponga tres pétalos alrededor. Trabaje con aguja la base de cada pétalo para unirla al círculo. Forme una bola de fieltro blanco de 5 cm para la estructura interior de la flor. Coloque la bola en el centro de los tres pétalos y trabaje con la aguja la parte inferior de cada pétalo en torno a la bola. Distribuya los tres últimos pétalos alrededor de los centrales y únalos con la aguja. Corte un círculo de fieltro verde de 3 cm y únalo con la aguja a la base exterior de la flor. Confeccione un cordón tejido para el tallo e introduzca un alambre para mantenerlo erguido. Sujete el alambre a la base del tulipán y cósalo. Corte una hoja de fieltro de 15 cm de longitud por 3 cm de anchura y cósala al tallo.

girasol de fieltro

Forme un disco marrón de fieltro de 7,5 cm para el centro y añada suficientes pétalos de fieltro amarillo, de 1,25 × 5 cm, cosidos alrededor. En cuanto al tallo, siga el patrón de la peonía.

magnolia de tela

Corte seis pétalos exteriores de tela de algodón blanca, de 10 × 7,5 cm, y tres pétalos interiores blancos de 7,5 × 5 cm. Forme una bola amarilla de fieltro con aguja, de 2,5 cm, para el centro. Añada nudos franceses con hilo amarillo para crear la textura del polen. Cosa los pétalos pequeños alrededor de la bola; distribuya tres pétalos grandes en torno a la base y cóasalos. Disponga los tres últimos pétalos y cóasalos. En cuanto al tallo, siga las mismas instrucciones que para la peonía.

variaciones

teclado de punto

véase el diseño básico de la página 216

melódica de punto

Siga el mismo patrón que para hacer el teclado, pero añada una boquilla de fieltro en la parte izquierda. Corte una tira de fieltro blanco de 2,5 × 12,5 cm y cosa los extremos cortos en el centro posterior a modo de asa.

xilófono de ganchillo

Confeccione ocho teclas de 2,5 cm de anchura, de tamaño descendente: empiece con 12 cm y acabe con 6 cm. Utilice los colores del arcoíris, desde el rojo hasta el violeta. Confeccione dos tubos de ganchillo de 2,5 × 25 cm y rellénelos a medida que va tejiendo. Cierre los extremos y átelos para asegurarlos. Formarán la base del xilófono. Separe las teclas de forma regular sobre los tubos de 25 cm y cosa a través de la tecla hasta el tubo en la parte superior e inferior de cada tecla. Confeccione dos bastones (siga el patrón de las maracas de ganchillo, en la página 40) y amplíe el mango 10 cm más. Introduzca una clavija o un alambre resistente a modo de refuerzo. Incluya cascabeles y realice la cabeza del mazo en un color intenso.

teclado de fieltro

Corte dos piezas de fieltro negro con las dimensiones del teclado de punto y cosa un rectángulo blanco, también con las mismas dimensiones, en una de las piezas de fieltro. Corte las teclas de fieltro negro y cóselas; añada líneas verticales con hilo negro para señalar las teclas blancas. Cosa con punto de festón los lados superior e inferior del fieltro; rellene un poco la pieza antes de cerrarla.

chips de sonidos de piano

Añada unos cuantos chips con sus melodías favoritas de piano en varios bolsillos cosidos en la parte posterior del teclado de punto. Cierre los bolsillos con una cremallera o un botón. Se trata de una opción estupenda para que los niños aprendan melodías nuevas, y podrá cambiar los chips siempre que lo desee.

partituras

Corte láminas de fieltro blanco de 21,5 × 28 cm y borde pentagramas y claves con hilo negro. Cosa las notas de una canción en cada lámina. Añada un bolsillo de fieltro en la parte posterior del teclado para guardar las partituras enrolladas.

variaciones

submarino de ganchillo

véase el diseño básico de la página 219

periscopio

Añada un periscopio tejiendo un cordón de 10 cm e introduciendo un limpiapipas en su interior. Deje 2,5-4 cm del limpiapipas fuera del tubo para sujetarlo a la torre. Corte un pequeño círculo de fieltro gris y cósalo en un extremo; será el cristal del visor. Cosa el otro extremo en el centro superior de la torre del submarino y empuje el limpiapipas en su interior. Doble el periscopio en ángulo recto a 2,5 cm del visor: ¡ya está listo para mirar!

submarinista

Siga el patrón del pirata de ganchillo (*véase* pág. 140), pero utilice hilo amarillo para confeccionar un traje de submarinista y negro para las botas y los guantes. Corte un círculo de fieltro negro para hacer la mascarilla y cósalo sobre el rostro. Añada un cinturón de fieltro y las bombonas de oxígeno en la espalda.

calamar gigante

Utilice la variación del calamar con respecto al patrón del pulpo de ganchillo (*véase* pág. 87) y confeccione un calamar gigante para jugar con el submarino. Rodee con ganchillo 21,5 cm de un limpiapipas para crear los tentáculos; de ese modo podrá rodear el submarino u otros objetos subacuáticos.

paisaje submarino

Cosa un paisaje submarino de fieltro para acompañar al submarino y sus variaciones. Use una pieza de fieltro de 76 cm de anchura por 50 cm de altura y cuélguela de una pared. Cosa arena con hilo marrón oscuro en la parte inferior y añada arrecifes de coral, algas y conchas por encima, todo ello en fieltro. Además, será un fondo perfecto para la sirena de punto de la página 145.

submarino gigante

Cosa un submarino gigante de 120 cm de anchura por 90 cm de altura; podrá colgarlo de un árbol o en una habitación. Corte los agujeros circulares para representar las ventanas a fin de que los exploradores submarinos puedan asomarse, así como una ranura para la puerta de entrada. Los exploradores pueden llevar gafas de bucear y recorrer el fondo marino en busca de conchas o de un tesoro enterrado.

variaciones

cactus de ganchillo

véase el diseño básico de la página 220

cactus saguaro

El cactus saguaro tiene unos «brazos» que salen del cuerpo principal y se curvan hacia arriba. Confeccione con ganchillo varias filas siguiendo el patrón del cactus para crear esos brazos. Forme una lazada con el hilo a través de los puntos de la última fila y ate para cerrar. Introduzca un limpiapipas y el relleno; deje 5 cm del limpiapipas fuera del brazo. Doble 1,25 cm del extremo a modo de punto de sujeción y empuje el extremo doblado en el cuerpo del cactus. Cosa el extremo del brazo al cuerpo del cactus y doble el brazo para que quede levantado. Repita el proceso con el otro lado.

cactus de fieltro con aguja

Utilice fibra de lana verde y naranja oscuro para tejer un cactus con fieltro y aguja. Enrolle la lana verde en un tubo y forme un cactus de 7,5 cm de altura. Repita el proceso con la lana naranja, pero para formar un tubo más corto, y cree una maceta de 5 cm de altura para el cactus. Colóquelo sobre la maceta y una las dos superficies con la aguja. Añada flores de fieltro en la parte superior de la planta.

chumbera

La chumbera presenta hojas con una forma similar a las de la planta del dinero (*véase* pág. 208): son redondeadas y más anchas en la parte superior. Confeccione la maceta con ganchillo, como en el patrón principal, y corte suficientes hojas para llenarla. Use hilo beis para las púas del cactus; anude un extremo y tire del hilo a través de una hoja de fieltro. Ate el hilo en el lado opuesto del fieltro y corte de manera que queden 2,5 cm en la hoja. Repita el proceso para incluir varias púas en cada hoja. Junte dos hojas con los nudos de anclaje por dentro y las púas por fuera, y cósalas. Distribuya las hojas a diferentes alturas y emplee cola para asegurar el cactus en la maceta.

serpiente del desierto

Confeccione una serpiente del desierto para acompañar al cactus. Siga la variación de la oruga de la página 107 para tejer una serpiente de punto. Añada lunares con punto duplicado o teja rayas de dos colores a medida que avanza. Introduzca un cable de tensión media en la serpiente para enrollarla alrededor de la base del cactus.

juegos y deportes

Actívese con estos juegos. Estos entretenimientos
clásicos se convertirán en los favoritos de la familia.

pesas de ganchillo

véanse variaciones en la página 270

materiales

- hilo: Brown Sheep
  Shepherd's Shades
  (100% lana, 100 g, 120 m),
  1 ovillo de (A) Blue Sky,
  (B) Rose Petal
- ganchillo de 6 mm
- aguja de tapicería
- relleno

tensión: 4 ps en 4,5 filas =
2,5 cm
dimensiones finales: 16,5 cm
de longitud; 5 cm de anchura;
5 cm de altura

instrucciones

Con A, cd 2.
V1: 8 pd en la 2.º cd desde
el ganchillo, 1pst para unir.
V2: cd 1, 2 pd en cada p alrededor,
1pst para unir – 16 ps.
V3: cd 1, [pd en el siguiente p,
2 pd en el siguiente p] alrededor,
1pst para unir – 24 ps.
V4–8: cd 1, pd en cada p alrededor,
1pst para unir.
V9: cd 1, [pd en el siguiente p,
s 1, pd en el siguiente p] alrededor,
1pst para unir – 16 ps.
Empiece a rellenar y continúe
hasta el final.
V10: cd 1, [s 1, pd en el siguiente p]
alrededor, 1pst – 8 ps.

V11–24: cd 1, pd en cada p alrededor,
1pst para unir.
V25: cd 1, 2 pd en cada p alrededor,
1pst para unir – 16 ps.
V26: cd 1, [pd en el siguiente p,
2 pd en el siguiente p] alrededor,
1pst para unir.
V27–31: cd 1, pd en cada p
alrededor, 1pst para unir.
V32: cd 1, [pd en el siguiente p,
s 1, pd en el siguiente p] alrededor,
1pst para unir – 16 ps.
V33: cd 1, [s 1, pd en el siguiente
p] alrededor, 1pst para unir – 8 ps.
Rompa el hilo y teja los extremos.
Teja otra pesa con B para tener
la pareja.

cuerda de saltar de punto

véanse variaciones en la página 271

materiales

- hilo: Brown Sheep Cotton Fleece (80% algodón, 20% lana merino, 100 g, 196 m), 1 ovillo de Prosperous Plum
- fieltro rojo
- agujas de tejer de doble punta, de 3,75 mm
- cordón no flexible, 2,75 m
- imperdible
- tiza de sastre
- cinta métrica
- compás
- aguja de coser
- hilo de coser rojo
- alfileres de costura
- relleno

para ajustarse a la altura del niño: hasta 1,4, 1,6, 1,8 m de altura
medidas finales: 2,1, 2,4, 2,75 m de longitud

instrucciones

Para personalizar la longitud de la cuerda, colóquese en el centro del cordón no flexible y píselo con un pie. Córtelo de manera que los extremos del cordón lleguen a las axilas. Confeccione un cordón de esa longitud.

cuerda

Con A, M 4 ps y tejer un cordón de 2,1, 2,4 o 2,75 m. Teja los extremos. El cordón tejido es flexible; por tanto, tendrá que añadir cordón no flexible para mantener una longitud estable. Sujete un imperdible en un extremo del cordón no flexible y páselo por el centro del cordón tejido hasta el otro lado.

asas

Con tiza de sastre y una cinta métrica, marque dos rectángulos de 12 × 7,5 cm y córtelos. Con un compás, dibuje dos círculos de 2,25 cm y cuatro de 3,5 cm sobre fieltro rojo; córtelos.

Doble los rectángulos por la mitad, a lo largo, y cosa el extremo de 12 cm con un margen de costura de 0,75 cm para cada asa. Deles la vuelta; sujete un círculo de 2,25 cm con alfileres en el extremo de cada asa y cóse lo con punto de festón; utilice hilo rojo. Rellene las asas de manera que queden firmes.

Cosa juntos dos círculos de 2,25 cm con punto de festón e hilo rojo. Repita este paso con el otro par de círculos.

Cosa un extremo del cordón tejido en el centro de un círculo de 2,25 cm. Repita el proceso con el otro extremo del cordón.

Centre el extremo abierto del asa en el círculo de 2,25 cm y cóselas. Repita este paso con la otra pieza.

damero de ganchillo y fieltro véanse variaciones en la página 272

materiales

- hilo: Brown Sheep Nature Spun Worsted (100 % lana, 100 g, 224 m), 1 ovillo de (A) Red Fox, (B) Pepper
- fieltro: 45 cm de rojo, 25 cm de negro, 25 cm de blanco
- regla de 30 cm
- tiza de sastre
- cúter
- tabla de cortar
- alfileres de costura
- aguja de coser
- máquina de coser (opcional)
- hilo de coser a juego con el fieltro
- cola para tejido
- ganchillo de 4 mm
- aguja de tapicería

dimensiones finales del tablero: cuadrado de 25 cm
dimensiones finales de las fichas: círculos de 2,5 cm de diámetro

instrucciones

tablero

Con regla y tiza, marque dos cuadrados de fieltro rojo de 25 cm y córtelos. Marque un borde de 2,5 cm alrededor del revés de un cuadrado. Marque ocho columnas verticales de 2,5 × 20 cm dentro de las líneas del borde. Doble un poco el fieltro y corte las siete líneas verticales por dentro del borde.

Corte ocho tiras de fieltro negro de 24 × 2,5 cm.

Deslice el tablero rojo hacia la derecha y pase las tiras negras entre las columnas. Corte unas aberturas en la parte superior de una anchura suficiente para ocultar los extremos de las tiras negras en el revés. Empiece tejiendo en el lado opuesto con respecto a cada fila anterior para crear el efecto de damero. Asegúrese de que las tiras queden planas para que todas encajen cómodamente dentro del borde.

Sujete con alfileres los extremos de cada tira negra para mantenerlas en su lugar. Cosa con punto corrido a lo largo de ambos lados o con máquina de coser siguiendo los extremos de la tira negra. Pespunte al principio y al final.

Corte cuatro tiras de fieltro blanco de 21 × 0,5 cm y péguelas alrededor del borde del tablero para ocultar las líneas de corte y de costura. Coloque los dos cuadrados de fieltro de 25 cm con los lados del revés juntos y cosa con puntada vista a 0,5 cm del borde; utilice hilo blanco. Cosa justo por fuera del borde blanco.

fichas

Con A y ganchillo de 4 mm:
V1: 6 pd en un anillo mágico, 1pst para unir.
V2: cd1, 2 pd en cada p, 1pst para unir – 12 ps.
Rompa el hilo, ate y teja los extremos. Confeccione 12 piezas con A y 12 con B.

conjunto de bolos

véanse variaciones en la página 273

materiales

- hilo: Brown Sheep
  Shepherd's Shades
  (100 % lana, 100 g, 120 m),
  5 ovillos de (A) Pearl,
  1 ovillo de (B) Fire
- fibra de lana, 50 g
  de marrón chocolate
- agujas de tejer de doble
  punta, de 6 mm
- alubias o arroz
- bolsa de tela o de plástico
- relleno
- aguja de tapicería
- aguja para fieltro de
  tamaño 38
- almohadilla de espuma para
  trabajar fieltro con aguja

tensión: 4,5 ps en 6 filas
= 2,5 cm
dimensiones finales: 18 cm
de altura; 7,5 cm de anchura

instrucciones

Con A, M 8 ps y divida entre 3 adp.
Una en redondo y utilice los puntos
montados como guía para el final
del círculo.
V1: tpd.
V2: pdr en cada p alrededor – 16 ps.
V3-5: tpd.
V6: rep fila 2 – 32 ps.
V7: pr.
V8-27: tpd.
V28: [tpd6, 2pdj] rep 4 veces – 28 ps.
V29: [tpd5, 2pdj] rep 4 veces – 24 ps.
V30: [tpd4, 2pdj] rep 4 veces – 20 ps.
Añada 25 g de alubias o arroz en
una bolsita de tela o de plástico
y selle. Empiece a rellenar y continúe
hasta el final.
V31: tpd.
V32: cambie a B, pero no rompa A,
y tpd.
V33-35: tpd.

V36: cambie a A, rompa B y tpd.
V37-38: tpd.
V39: [tpd5, 1adr] rep 4 veces – 24 ps.
V40: [tpd6, 1adr] rep 4 veces – 28 ps.
V41: [tpd7, 1adr] rep 4 veces – 32 ps.
V42-47: tpd.
V48: [tpd6, 2pdj] rep 4 veces – 28 ps.
V49: [tpd5, 2pdj] rep 4 veces – 24 ps.
V50: [tpd4, 2pdj] rep 4 veces – 20 ps.
V51: [tpd3, 2pdj] rep 4 veces – 16 ps.
V52: [tpd2, 2pdj] rep 4 veces – 12 ps.
V53: [tpd1, 2pdj] rep 4 veces – 8 ps.
Rompa el hilo y páselo por los
8 últimos ps. Teja los extremos.
Teja cinco bolos más para tener
un miniconjunto o bien nueve para
disponer de un juego completo.

Forme una bola de fieltro con
una aguja de 10 cm de diámetro;
utilice fibra de lana marrón. Siga
el mismo patrón que para la pelota
de la página 48.

miniestera de yoga

véanse variaciones en la página 274

materiales

- tela: Robert Kaufman Roar (100 % algodón), 45 cm de Bermuda; Moda Muslin (100 % algodón), 45 cm de Natural
- cinta métrica
- tiza de sastre
- alfileres de costura
- máquina de coser (recomendada)
- hilo de coser de color blanco roto
- girador de puntos

dimensiones finales: 46 cm de anchura; 92 cm de longitud

nota: puede añadir una base de goma para evitar que la estera se deslice en los suelos de madera.

instrucciones

Coloque la tela Bermuda sobre la Natural con los derechos juntos. Mida y marque un rectángulo de 48 × 94 cm en la tela superior y corte las dos capas.

Con los lados derechos juntos, cosa tres de los cuatro bordes con un margen de costura de 1 cm. Deje abierto un extremo de 48 cm.

Corte las cuatro esquinas con cuidado de no acercarse demasiado a la costura y dé la vuelta a la estera. Empuje las esquinas con un girador de puntos.

Alise los bordes de la estera. Doble hacia dentro el extremo abierto (1,25 cm); sujete con alfileres y planche.

Cosa los cuatro lados con puntada vista a 1 cm del borde. Empiece por el extremo de 48 cm sujeto con alfileres.

¡a pescar!

véanse variaciones en la página 275

materiales

- hilo: Brown Sheep Cotton Fleece (80 % algodón, 20 % lana merino, 100 g, 196 m), 1 ovillo de (A) Emperor's Robe, (B) Caribbean Sean, (C) Robin Egg Blue, (D) Cotton Ball
- fieltro: 25 cm de marrón claro, dos círculos grises de 2,5 cm
- agujas de tejer de 4 mm
- relleno
- 4 imanes de 1,25 cm
- palillo de bambú
- cinta de enmascarar
- cinta métrica
- tiza de sastre
- hilo de bordar blanco

tensión: 5 ps en 6 filas = 2,5 cm en pj

dimensiones finales de los peces: 9,5 cm de longitud

dimensiones finales de la caña de pescar: caña, 63,5 cm de longitud; 1,5 cm de anchura; anzuelo, 2,25 cm de anchura

instrucciones

peces

Con A y una aguja de 4 mm, M 10 ps.

F1 (LR): pr.

F2 (LD): tpd1; d, d, jpd; tpd hasta los 3 últimos puntos, 2pdj, tpd1 – 8 ps.

F3 y todas las filas impares: pr.

F4 y 6: rep fila 2 – 2 ps reducidos por fila.

F8: tpd1, 1adr, tpd hasta el último p, 1adr, tpd – 6 ps.

F10 y 12: rep fila 8 – 2 ps aumentados por fila.

F14–19: tpd pj.

F20: tpd1; d, d, jpd; tpd hasta los 3 últimos puntos, 2pdj, tpd1 – 8 ps.

F22 y 24: rep fila 20 – 2 ps reducidos por fila.

F26: 2pdj dos veces – 2 ps.

R. Repita las filas 1-26 para confeccionar el otro lado del pez. Deje suficiente hilo para coser en el extremo de una pieza. Coloque el pez con los lados del revés juntos y cosa con punto colchonero empezando por la boca. Rellene ligeramente cuando quede una abertura de 2,5 cm. Coloque un imán en la punta interior de la boca, cierre y oculte los extremos por dentro. Repita el proceso para crear un conjunto de tres o más peces; utilice B y C.

caña de pescar

Corte una tira de 36 cm de D para la caña de pescar. Haga un nudo en ambos extremos. Corte un palillo de bambú fino de manera que mida 25 cm. Envuelva el extremo cortado con cinta de enmascarar. Con cinta métrica y tiza, marque un rectángulo de fieltro marrón de 3,5 × 28 cm y córtelo. Doble el rectángulo por la mitad y a lo largo y cósalo con puntada vista a 0,5 cm de borde. Deténgase en la abertura inferior e introduzca el palillo. Sitúe un extremo anudado de la caña de pescar por dentro y acabe de coser para cerrar la pieza. Corte dos círculos de fieltro gris de 2,5 cm para el anzuelo. Cosa con pespunte en torno al borde utilizando un hilo de bordar e hilo blanco de bordar con doble hebra. Introduzca un imán en el otro extremo anudado de la caña de pescar antes de acabar de coserla. Continúe con la costura y oculte los extremos por dentro.

tres en raya de punto y fieltro

materiales

- hilo: Brown Sheep Lamb's
  Pride Worsted (85% lana,
  15% mohair, 100 g, 175 m),
  1 ovillo de (A) Limeade,
  (B) White Frost
- 25 cm de fieltro naranja
- agujas de tejer de 5 mm
- aguja de tapicería
- tiza de sastre o rotulador
  para tela
- cartulina
- hilo de bordar blanco
- aguja de bordar

medida del tablero terminado:
cuadrado de 16,5 cm
**medida de las fichas
terminadas:** 4 cm de altura

instrucciones

tablero

Con A, M 29 ps.

F1–4: [tpd1, pr1] en punto semilla.

R5 (LD): tpd1, pr1, tpd1, tpd23,
tpd1, pr1, tpd1.

F6 (LR): tpd1, pr1, tpd1, pr23, tpd1,
pr1, tpd1.

F7–40: repetir las filas 5 y 6.

F41: repetir la fila 5.

F42–45: [tpd1, pr1] en punto
semilla.

R y tejer los extremos.

Con una tira de B y una aguja de
tapicería, cosa con punto duplicado
dos líneas verticales que empiecen
en la fila 5; en la fila 11, cosa desde
la izquierda y la derecha y continúe
hasta la fila 41. Con otra pieza de B
y una aguja de tapicería, cosa líneas
horizontales con punto duplicado
en las filas 15 y 16 y en la 28 y la 29.
Los bloques dentro del borde de
punto semilla deberían medir 4 cm
por dentro de las líneas blancas.
Bloquee para formar un cuadrado
de 16,5 cm.

fichas

Imprima la X y la O en una cartulina.
Córtelas y dibuje el contorno sobre
fieltro con tiza de sastre o rotulador;
realice cinco piezas de cada una y
corte dos capas. Cosa con pespunte,
con dos hebras de hilo de bordar
blanco y una aguja de bordar, en
torno a la O y en el centro de la X.

**Debe aumentarse un 300%
para conseguir el tamaño real.**

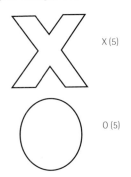

X (5)

O (5)

véanse variaciones en la página 276

banda y muñequeras

véanse variaciones en la página 277

materiales

- hilo: Brown Sheep Cotton Fleece (80% algodón, 20% lana merino, 100 g, 196 m), 1 ovillo de (A) Hawaiian Sky, (B) Celery Leaves
- agujas de tejer de 4 mm
- aguja de tapicería

tensión: 5,5 ps en 9 filas en punto de liga
tamaño de las muñequeras:
pequeña infantil (mediana, grande)
medidas finales: 10; 12,5; 15 cm
medidas de la banda para la cabeza:
pequeña infantil (mediana, grande)
medidas finales: 40,5; 43; 45,5 cm
nota: este patrón se teje con agujas rectas; por tanto, puede pararse y medir las piezas sobre la muñeca y la cabeza de su destinatario para confeccionarlas a medida.

instrucciones

muñequera

Con A, M 10 ps.
Teja en punto de liga 4,5 cm (5,5; 7 cm). Cambie a B, pero no ate A.

Teja la segunda fila, teja con pr la segunda fila y teja la tercera fila. Cuando empiece la tercera fila de punto jersey, lleve el hilo azul por detrás del tejido para pasarlo al otro lado.

Cambie a A, ate B. Teja la siguiente fila con punto del revés y continúe tejiendo hasta tener 4,5 cm (5,5; 7 cm).

R y cosa los extremos con punto colchonero. Teja los extremos. Confeccione otra muñequera igual.

banda para la cabeza

Con B, M 10 ps.
Teja en punto de liga hasta obtener 19 cm (20; 21,5 cm). Ate B, cambie a A. Teja la siguiente fila y continúe en pj en las seis filas siguientes para acabar con una fila en punto del derecho.

Ate A, cambie a B. Teja la fila en punto del revés y continúe hasta tener 19 cm (20; 21,5 cm).

R y cosa con punto colchonero. Teja los extremos y bloquee el pst de la sección azul para que coincida la anchura de la sección tejida con punto de media.

fichas de dominó

véanse variaciones en la página 278

materiales

- tela: Robert Kaufman Kona Cotton (100% algodón), 45 cm de Ivory
- hilo: Brown Sheep Cotton Fleece (80% algodón, 20% lana merino, 100 g, 196 m), 1 ovillo de Cavern
- cinta métrica
- tiza de sastre
- alfileres de costura
- aguja de coser
- máquina de coser (opcional)
- hilo de coser a juego con la tela y el hilo de tejer
- girador de puntos
- relleno
- ganchillo de 4 mm
- aguja de tapicería
- cola para tejido

dimensiones finales: 10 cm de longitud; 20 cm de altura; 4 cm de anchura

instrucciones

cuerpo

Con la cinta métrica y la tiza de sastre, mida dos rectángulos de 22 × 12 cm y una tira de 5,5 × 66 cm de tela Ivory. Córtelos.

Con los derechos juntos, sujete con alfileres la tira de 66 cm a lo largo del borde del rectángulo. Deje un margen de tela de 1,25 cm para coser al final. Cosa siguiendo el borde con un margen de costura de 1 cm. Sujete el otro rectángulo con alfileres al borde de la tira, con los derechos juntos, y cósalos con un margen de costura de 1 cm.

Recorte las esquinas y dé la vuelta a la pieza. Utilice un girador de puntos para empujar las esquinas. Rellene la pieza y cósala con puntada invisible.

cara

Puntos negros: con hilo y ganchillo, monte 6 pd en un anillo mágico, 1pst para unir, cd 1, 2 pd en cada p alrededor, 1pst, y rompa el hilo. Teja los extremos. Confeccione todos los puntos que se necesiten.

Línea divisoria negra: con A, cd 16 y teja los extremos. Añada una gota de cola para asegurarlos. Confeccione una cadeneta para cada pieza.

montaje

Un conjunto clásico de dominó cuenta con 26 piezas, cada una con dos números, los cuales van del uno al seis y se representan por medio de puntos. Cada pieza es una combinación única de los seis números e incluye extremos negros sin números. Distribuya los puntos tal como se muestra en la fotografía y sujételos con alfileres. Mida la línea divisoria central a 10 cm de la parte superior e inferior de cada pieza y márquela. Sujete la cadeneta con alfileres en su lugar, estirándola de manera que quede a 1 cm de ambos lados. Cosa las piezas con hilo negro y oculte los nudos por debajo.

atrapa la bola

véanse variaciones en la página 279

materiales

- hilo: Brown Sheep Lamb's Pride Superwash Bulky (100% lana, 100 g, 100 m), 1 ovillo de (A) Charcoal Heather; Brown Sheep Shepherd's Shades (100% lana, 100 g, 120 m), 1 ovillo de (B) Wintergreen; Lion Brand Cotton Bamboo (52% algodón, 48% bambú, 100 g, 224 m), 1 ovillo de (C) Persimmon
- fibra de lana blanca, 7 g
- fieltro rígido blanco
- ganchillo de 5,5 mm
- palillo de bambú
- cinta de enmascarar
- relleno
- aguja de tapicería
- aguja de coser con ojo grande
- aguja para fieltro de tamaño 38
- almohadilla de espuma de fieltro

tensión: 4 ps en 4,5 filas = 2,5 cm
dimensiones finales: 23,5 cm de altura; 6 cm de anchura

instrucciones

asa

Con A y ganchillo de 5,5 mm, tejer 8 pd en un anillo mágico, 1pst para unir. Pd en cada p alrededor hasta que la pieza mida 15 cm. Rompa el hilo, pero deje suficiente cantidad para coser. Corte el palillo de bambú a 15 cm y cubra el extremo cortado con cinta de enmascarar. Introduzca el palillo en el asa tejida y rellénela de manera que quede firme.

recogedor

Con B y ganchillo de 5 mm, teja 8 pd en un anillo mágico, 1pst para unir.
V1: cd 1, 2 pd en cada p alrededor, 1pst para unir – 16 ps.
V2: cd 1, [pd en el siguiente p, 2 pd en el siguiente p] alrededor, 1pst para unir – 24 ps.
V3: cd 1, [pd en los 2 ps siguientes, 2 pd en el siguiente p] alrededor, 1pst para unir – 32 ps.
V4: cd 1, pd en la lazada trasera solo en cada p, 1pst para unir.
V5-15: cd 1, pd en cada p alrededor, 1pst para unir.
Rompa el hilo y teja los extremos.

montaje

Con una aguja de tapicería, cosa el asa en el centro de la base del recogedor y asegúrela con un nudo. Oculte los extremos dentro del asa. Con un compás, dibuje un círculo de 5 cm sobre fieltro rígido y recórtelo. Coloque el círculo en el interior del recogedor, en la base, y cosa una X en el centro que llegue a la base y al asa. De este modo, el recogedor tendrá más estabilidad cuando se juegue con él.

Forme una bola de 2,5 cm de fieltro con aguja siguiendo las instrucciones de la página 48. Corte una tira de C de 46 cm y átela en la base del recogedor, donde este se encuentra con el asa, con una aguja afilada. Oculte el extremo dentro del asa. Cosa el otro extremo con la aguja y perfore la bola de fieltro. Tire del hilo de manera que mida 30 cm. Haga un doble nudo para asegurarlo a la bola y oculte el extremo por dentro. Corte el hilo sobrante.

juego de aros

véanse variaciones en la página 280

materiales

- hilo: Brown Sheep Nature Spun Worsted (100% lana, 100 g, 224 m), 1 ovillo de (A) Turquoise Wonder, (B) Regal Purple, (C) Impasse Yellow
- 25 cm de fieltro de color marrón chocolate
- cinta métrica
- tiza de sastre
- hilo de coser marrón
- máquina de coser (opcional)
- alubias o arroz
- relleno
- hilo de bordar marrón
- palillo de bambú
- ganchillo de 4 mm
- aguja de tapicería

tensión: 5 ps en 6 filas = 2,5 cm
dimensión final de los aros:
9,5 cm
dimensiones finales del soporte:
15 cm de longitud; 38 cm
de altura; 15 cm de anchura

instrucciones

soporte

Con cinta métrica y tiza, mida, marque y corte dos cuadrados de 16,5 cm, una tira de 68,5 × 7,5 cm, un rectángulo de 10 × 28 cm y un círculo de 3 cm de diámetro, todo ello de fieltro. Sujete con alfileres la tira de 68,5 cm en los bordes de un cuadrado. Cosa con un margen de costura de 0,75 cm. Cierre con una costura la abertura de 7,5 cm de la tira. Sujete con alfileres el otro cuadrado en torno a la tira, alineándolo con el cuadrado inferior. Cosa con un margen de costura de 0,75 cm y deje una abertura de 10 cm. Ponga una taza y media de judías o de arroz dentro de la base cuadrada para aportar peso. Llene el resto de la base con relleno. Cosa con puntada invisible para cerrarla. Doble el rectángulo de 10 × 28 cm siguiendo el borde de 28 cm y cósalo con un margen de costura de 0,75 cm. Dele la vuelta y cosa el círculo de 3 cm en un extremo del tubo con punto de festón;

utilice hilo de bordar marrón. Rellene bien el tubo e introduzca un palillo (con la punta recortada y protegida con cinta); deje al menos 5 cm fuera para introducirlo en la base. El palillo no tiene que llegar a la parte superior del tubo. Abra un pequeño agujero en el centro superior de la base cuadrada e introduzca el palillo y el tubo. Sujételo con alfileres y cósalo con pespunte en torno a la base del tubo; utilice hilo de bordar marrón.

aro

Con A, cd 8, 1pst en la primera cd para unir. Pd en cada p alrededor hasta tejer 25 cm. Rellene a medida que va tejiendo. Cosa los extremos para formar un aro. Confeccione aros de 30 y 35,5 cm con B y C siguiendo las mismas instrucciones. Trabaje con aguja para fieltro las uniones que parezcan irregulares. Los aros de diferentes tamaños supondrán un reto extra. También puede tejer aros más grandes.

dados de fieltro con aguja

véanse variaciones en la página 281

véanse variaciones en la página 281

materiales

- fibra de lana: 25 g de roja (más 7 g para el acabado), 7 g de blanca
- aguja para fieltro de tamaño 38
- almohadilla de espuma para trabajar fieltro con aguja

dimensiones finales: 5 cm cada dado

instrucciones

cubo

Divida la fibra roja en dos secciones de 14 g. Cada dado pesará 14 g. Distribuya de nuevo los 14 g de fibra en dos secciones de 7 g y forme una bola; para ello, empiece en un extremo y recoja los lados a medida que trabaja. Cuanto más apretada esté la fibra al principio, menos trabajo tendrá, porque como resultado se ha de obtener una pieza dura. Sujete la lana enrollada con los extremos abiertos a la izquierda y la derecha. Envuelva la otra sección de 0,5 cm en horizontal en torno a la sección media y sobre los extremos abiertos izquierdo y derecho para formar un cubo.

Coloque la bola sobre la almohadilla de espuma y sujete los extremos con los dedos. Tome la aguja con la otra mano y pinche los extremos para alisarlos. Cuando estén en su lugar, pase los extremos sueltos por encima y por debajo para mezclar la lana. Deberían quedar ralos. Trabaje alrededor de la pieza hasta que la lana esté bien mezclada. Si tiene problemas para unificarla, puede añadir una capa fina de lana extra para cubrir los agujeros o las arrugas. Repita el proceso con el resto de extremos sueltos.

Vaya pinchando toda la pieza y alise las seis caras hasta que considere que el dado está firme y no va a perder la forma. Si todavía no se asemeja a un cubo, continúe manipulando las zonas que sobresalgan hasta que la lana se desplace hacia dentro y se mezcle bien. No pasa nada si los bordes quedan un poco redondeados, como en la fotografía. Repita el proceso para confeccionar el otro dado.

puntos

Tome un poco de fibra blanca y enróllela ligeramente entre los dedos para formar un punto. No tiene que ser perfecto. Utilice la punta de la aguja para meter los hilos sueltos. Coloque un punto en el centro de un lado del cubo y sujételo con los dedos. Pase la aguja a través de la fibra blanca e introdúzcala en el cubo. Tenga cuidado con los dedos. Continúe trabajando el punto para fijarlo en su lugar y vaya metiendo los hilos sueltos para que quede bien definido. Este lado del dado será el número uno. Siga estos pasos para marcar los números del dos al seis en cada lado del dado.

dardos de ganchillo y fieltro véanse variaciones en la página 282

materiales

- hilo: Brown Sheep Cotton Fleece (80% algodón, 20% lana merino, 100 g, 196 m), 1 ovillo de (A) Gold Dust, (B) Provincial Rose
- fieltro: 45 cm de turquesa, 25 cm de azul marino
- fieltro rígido, cuadrado de 30 cm
- cuerda
- rotulador para telas
- aguja o máquina de coser
- hilo de coser a juego con el fieltro y en un color que contraste para hilvanar
- velcro rosa y blanco de 4 cm de anchura
- ganchillo de 4 mm
- arroz
- aguja de tapicería
- compás

tensión: 5 ps en 5 filas = 2,5 cm
dimensión final de la diana:
33 cm de diámetro

instrucciones

diana

Marque y corte dos círculos de 33 cm y uno de 10 cm de diámetro, los tres en fieltro turquesa, y otro de 20 cm de diámetro en fieltro azul marino. Marque y corte un círculo de 30 cm de diámetro de fieltro rígido. Para dibujar los círculos, utilice un lápiz, cuerda y un rotulador para telas. Ate un extremo de la cuerda al lápiz y el otro al rotulador. La cuerda tiene que medir la mitad del círculo que va a dibujar. Sujete con una mano el lápiz en el centro del círculo que va a dibujar, y, con la otra, la cuerda en tensión. Marque el círculo con el rotulador; para ello, mantenga la cuerda tensa y muévala alrededor del lápiz hasta que haya completado el círculo.

Centre el círculo azul marino de 20 cm sobre uno de los círculos turquesa de 30 cm e hilvánelo. Centre el círculo turquesa de 10 cm sobre el círculo azul marino e hilvánelo. Cosa los dos círculos juntos, a 0,25 cm de borde, con un hilo que combine.

Corte las siguientes piezas del lado rugoso de velcro: un cuadrado rosa de 4 cm, seis rectángulos rosas de 6 × 4 cm y seis cuadrados blancos de 4 × 4 cm. Hilvane el cuadrado rosa de 4 cm en el centro del círculo de 10 cm. Hilvane los cuadrados blancos en torno al círculo azul marino, repartidos de forma regular, y los rectángulos rosas a lo largo del círculo turquesa exterior y alineados entre los cuadrados blancos, como se observa en la fotografía. Cosa todas las piezas de velcro en la diana con hilos a juego. Centre el fieltro rígido entre los círculos turquesa y colóquelo. Corte una tira de 30 cm de C y realice un doble nudo en ambos extremos para sujetarlo. Centre cada extremo del hilo encima de un rectángulo rosa, con unos 15 cm de separación, y sujete con alfileres entre el fieltro. Sujete ambos círculos juntos con alfileres y cósalos a 0,25 cm del borde con el hilo correspondiente. Retire los alfileres a medida que cose.

dardos

Con A, teja 6 pd en un anillo mágico, 1pst en la primera cd para unir.
V1: cd 1, 2 pd en cada cd alrededor, 1pst para unir – 12 ps.
V2: cd 1, [pd en el siguiente p, 2 pd en el siguiente p] alrededor, 1pst para unir – 18 ps.
V3: cd 1, [pd en los 2 ps siguientes, 2 pd en el siguiente p] alrededor, 1pst para unir – 24 ps.
V4–5: cd 1, pd en cada p alrededor, 1pst para unir.
V6: cd 1, [pd en los 3 ps siguientes, s 1] alrededor, 1pst para unir – 18 ps.
V7: cd 1, [pd en los 2 ps siguientes, s 1] alrededor, 1pst para unir – 12 ps.
V8: cd 1, [pd en el siguiente p, s 1] alrededor, 1pst para unir – 6 ps.
Rellene con arroz y ate para asegurar. Oculte los extremos por dentro. Confeccione dos dardos más con A y tres con B. Con un compás, dibuje un círculo de 3 cm de diámetro en la parte posterior

de la tira suave de velcro blanco. Corte un círculo de velcro para cada dardo y cóselo a mano con hilo blanco en la parte posterior de cada pieza.

Para lanzar un dardo, sujételo con el velcro mirando hacia la diana. Lance el dardo con toda la mano; así conseguirá un recorrido recto, sin que el dardo se gire, y que las dos caras del velcro entren en contacto.

colocar la cola al burro

materiales

- hilo: Brown Sheep Cotton Fleece (80 % algodón, 20 % lana merino, 100 g, 196 m), 1 ovillo de (A) Provincial Rose, (B) Limelight, (C) Truffle
- tela: Robert Kaufman Kona Cotton (100 % algodón), 45 cm de Ivory; Floral Calico (100 % algodón), 45 cm
- fieltro de lana de color crema
- entretela termoadhesiva ligera
- tiza de sastre
- pesos para telas
- hilo de coser de colores rosa y marfil
- estabilizador

dimensiones finales del tablero: 62,5 cm de anchura; 60 cm de altura
medidas finales de la cola: 12 cm de altura; 3 cm de anchura en la parte superior

instrucciones

tablero

Con los lados de delante juntos, doble la tela Ivory por la mitad. Utilice una cinta métrica y tiza para marcar 68,5 cm de altura y 34 cm de anchura desde la línea de pliegue. Corte siguiendo las líneas de tiza para obtener un cuadrado de 68,5 cm. En el revés, marque 2,5 cm con tiza en tres de los extremos y conecte las líneas. Para el bolsillo superior, marque 7,5 cm siguiendo el borde y conecte las líneas de tiza. Planche los bordes por el revés hasta la línea de 2,5 cm. Doble la tela al derecho y cosa con puntada vista a 1 cm del borde en tres de los lados con hilo de color marfil. Doble la tela hacia el revés y planche el borde superior hacia la línea de 7,5 cm. Gire la tela al derecho y cosa a 2,5 cm del borde, de manera que cree un bolsillo para el soporte.

burro

El patrón del burro que se muestra es el revés de la pieza; así será más fácil calcarlo. Cálquelo en el forro de papel que permanece con la trama de la entretela termoadhesiva. Corte la entretela sobrante alrededor del dibujo calcado, pero no la línea trazada. Ponga la plancha a temperatura para algodón y planche por el revés de la tela Calico durante unos segundos. Corte la entretela y la tela, ya unidas, siguiendo la línea calcada. Retire el papel de protección, de manera que la trama quede pegada al burro. Asegúrese de eliminar las posibles arrugas de la tela de color marfil y de centrar el burro. Con la plancha caliente, planche durante 10-20 segundos. Corte una pieza de estabilizador más grande que el burro y colóquela detrás de este, en el revés de la tela. Utilice hilo rosa y máquina de coser para unir con puntada en zigzag de 0,25 cm de anchura, aproximadamente; mantenga la longitud de la puntada lo más corta posible. Cosa alrededor del burro asegurándose de que el zigzag se encuentre a una distancia suficiente para que la tela no se salga.

colas

Corte seis piezas de 65 cm de A y dóblelas por la mitad. Sujete el

véanse variaciones en la página 283

**Debe aumentarse un 1.225 %
para conseguir el tamaño real.**

plantilla del burro

extremo anudado a una mesa o un tablero, con cinta adhesiva, y divida el hilo en tres secciones de cuatro hebras cada una.

Trence el hilo hasta que la cola mida 9,5 cm y realice un nudo al final. Corte el exceso y deje un flequillo de 5 cm. Corte un cuadrado de 2,5 cm de fieltro de color crema. Coloque el fieltro detrás del nudo superior y cósalo al nudo por el centro.

Repita el proceso para confeccionar dos colas de cada color con los hilos A, B y C. Haga más colas si van a jugar muchas personas.

Utilice cinta adhesiva de doble cara para sujetar las colas en el burro.

tabas

véanse variaciones en la página 284

materiales

- hilo: Brown Sheep
  Wildfoote Luxury Sock
  Yarn (75% lana lavable,
  25% nailon, 50 g, 196 m),
  1 ovillo de Temple
  Turquoise
- ganchillo de 3,25 mm
- relleno
- aguja de tapicería

tensión: 6,5 ps en 9 filas
= 2,5 cm
dimensiones finales: 9 cm
de altura; 9 cm de anchura

instrucciones

pieza central

Con el ganchillo de 3,25 mm e hilo,
teja 8 pd en un anillo mágico, 1pst
en el primer pd para unir. Pd en cada
p alrededor hasta que la pieza mida
9 cm. Introduzca el relleno apretado
y rompa el hilo. Teja alrededor del
extremo y tire para cerrar el tubo.
Asegure y teja los extremos.

púa

Con el ganchillo de 3,25 mm e hilo,
teja 6 pd en un anillo mágico,
1pst en el primer pd para unir.
V1: cd 1, 2 pd en cada p alrededor,
1pst para unir – 12 ps.
V3-4: cd 1, pd en cada p alrededor,
1pst para unir.
V5: cd 1, [pd en el siguiente p, s 1]
alrededor, 1pst para unir – 6 ps.

V6-11: cd 1, pd en cada p alrededor,
1pst para unir.
Rompa el hilo, pero deje suficiente
cantidad para coser, y rellene bien
la pieza. Confeccione tres púas más.

Con una aguja de tapicería, cosa
las púas de una en una alrededor del
centro del tubo de ganchillo de 9 cm
formando una cruz. Teja los extremos.

En general, un conjunto de tabas
se compone de diez piezas, pero
dado que estas son mucho más
grandes de lo normal, pruebe a tejer
solo cinco. Necesitará una pelota
de goma para hacerla botar.

lanzar bolsas de semillas

véanse variaciones en la página 285

materiales

- tela: P&B Spectrum Solids (100 % algodón), 45 cm de Clementine; Moda (100 % algodón), 25 cm de Children Wire; Robert Kaufman Metro Living Big Circles (100 % algodón), 25 cm de Black; Lecien Dots (100 % algodón), 25 cm de White on Grey Large Dots; Lecien Stripes (100 % algodón), 25 cm de Black Small
- cinta grosgrain gris, de 2 cm de anchura, cortada en cuatro tiras de 38 cm
- girador de puntos o palito
- cartulina
- hilo de bordar rosa
- alubias o arroz

medida final del tablero:
cuadrado de 50 cm
medida final de las bolsas de semillas: cuadrado de 12 cm

instrucciones

tablero de tela

Corte un cuadrado de 53 cm de la tela Clementine. Utilice una cinta métrica y tiza de sastre para marcar la tela.

Alinee dos piezas de cinta y colóquelas entre los cuadrados de la tela con los lados derechos juntos. Sujete la cinta con alfileres a 1,25 cm de una esquina y completamente oculta entre la tela en toda su longitud. De aquí saldrán las cuerdas con las que colgará el «tablero» de tela.

Cosa tres bordes con un margen de costura de 1,25 cm. Asegúrese de incluir el borde sujeto con la cinta. Recorte las cuatro esquinas con cuidado de no acercarse demasiado a la costura y dé la vuelta a la pieza. Empuje las esquinas con un girador de puntos o un palo.

Aplane los bordes de la tela. Doble el borde abierto en 1,25 cm, sujételo con alfileres y plánchelo. Cosa con puntada vista a 1 cm del borde y alrededor de todo el cuadrado; empiece por el borde sujeto con alfileres.

Dibuje un círculo de 12 cm en una cartulina y córtelo. Mida y marque 19 cm desde el centro superior e inferior y desde los lados del cuadrado hasta el centro del círculo. Coloque algunos alfileres en torno al círculo para evitar que la tela se mueva. Sitúe el círculo en el centro y marque su contorno con tiza de sastre. Mida y marque 1,25 cm alrededor de la parte exterior del círculo.

Doble el centro lo suficiente para poder cortar a través de las dos capas de tela. Corte triángulos empezando en el centro y deténgase en la primera línea del círculo de 12 cm. De ese modo le resultará más fácil cortar el círculo de forma regular. Siga la línea de tiza al final de los cortes para recortar el círculo.

Realice unos cortes con 1,25 cm de separación desde el borde del círculo hasta la línea de 1,25 cm que ha trazado alrededor del mismo. Doble esos extremos hacia dentro, de uno en uno, y alise la tela a medida que avanza, hasta que todos los bordes estén girados.

Sujete los bordes con alfileres.
Con tres hebras de hilo de bordar
rosa, cosa con pespunte a 0,5 cm
del borde.

bolsas de semillas
Con una cinta métrica y tiza
de sastre, mida, marque y corte
dos cuadrados de 15 cm de cada
tela para las bolsas.

Sujete con alfileres un par de
cuadrados, con los lados de delante
juntos, y cósalos con un margen de
costura de 1,25 cm alrededor de tres
bordes. Corte las esquinas y doble
hacia fuera, empujándolas con
un girador de puntos o un palo.

Doble hacia dentro el borde abierto
(1,25 cm) y aplánelo. Llene cada
bolsa con una taza de alubias
o de arroz y ciérrela con alfileres.
Cosa con puntada vista, con hilo
blanco, a 0,75 cm del borde. Repita
el proceso para las otras tres bolsas.

variaciones

pesas de ganchillo

véase el diseño básico de la página 239

forzudo de circo

Siga el patrón del pirata de ganchillo de la página 140, pero cambie los colores de los hilos para confeccionar un forzudo de circo. Realice las piernas con hilo negro y el cuerpo con la misma cantidad que la empleada para los pantalones. Utilice hilo marrón para el resto del cuerpo y los brazos (como si no llevase camisa). Haga el muñeco calvo y cósale un bigote en el rostro. Marque con puntadas los músculos del pecho con un hilo ligeramente más oscuro. Cosa los brazos con un botón en la articulación con el hombro para así poder moverlos y levantar las pesas.

pesa sonajero

Introduzca un cascabel en cada pesa para convertirlas en sonajeros que, además, servirán para ejercitar los músculos.

sonajero de cabeza de jirafa

Con hilo amarillo y siguiendo el patrón de las pesas de ganchillo, confeccione un sonajero de cabeza de jirafa. Introduzca un cascabel en el bulbo y rellénelo a medida que va tejiendo. Deje de tejer al final de la fila 24, pase el hilo en una lazada a través de los 8 últimos ps y tire para cerrar. Realice dos pequeños cuernos y cósalos en el centro superior de la cabeza. Corte las orejas de fieltro amarillo y cósalas a cada lado de los cuernos. Borde los ojos y la nariz en la cara.

pesa de rayas

Utilice dos colores de hilo y cámbielos en cada fila para confeccionar unas divertidas pesas de rayas.

antorcha

Realice una antorcha con ganchillo siguiendo el patrón de las pesas y usando hilo amarillo hasta el final de la fila 3 (será la llama). Cambie a rojo para el resto de la antorcha. Deje de tejer al final de la fila 24, pase el hilo en una lazada a través de los 8 últimos puntos y tire para cerrar. Cosa un pequeño «botón» rectangular de fieltro en el centro del mango.

variaciones

cuerda de saltar de punto

véase el diseño básico de la página 240

cuerda de saltar roja y blanca (imagen)

Confeccione una cuerda de saltar clásica roja y blanca. Siga el patrón de la cuerda de punto y empiece tejiendo con hilo blanco. Cambie al rojo cuando haya tejido 7,5 cm de cordón. Cambie de color cada 7,5 cm hasta llegar al final. Siga el resto de las instrucciones para terminar la cuerda, pero prescinda de los círculos de fieltro de 3,5 cm de las asas.

doble comba

Realice dos cuerdas de 5 m para saltar al mismo tiempo la doble comba. Para este juego se necesitan al menos tres jugadores.

cuerda para jugar al tira y afloja

Utilice un hilo de algodón más grueso o uno doblado para tejer una cuerda resistente que permita jugar al tira y afloja. Asegúrese de añadir cordón fuerte en el centro. Confeccione la cuerda de 15 m de longitud y forme tres cordones para trenzarlos a fin de reforzar la cuerda. Anude las trenzas con firmeza en los extremos.

ristras de salchichas

Haga ristras de salchichas tejiendo 50 cm de cordón y montando 10 puntos para el mismo. Emplee hilo marrón rojizo, rellene las salchichas a medida que las va tejiendo y cierre los extremos con hilo. Anúdelas cada 10 cm con hilo marrón. Se trata de una divertida adición a las comidas de la página 120.

vara con cinta

Confeccione una vara con cinta para bailar. Siga las instrucciones para el asa de la cuerda de saltar y amplíe el fieltro de manera que mida 38 cm de longitud. Inserte un palo en el interior y rellene. Corte un círculo de fieltro del mismo diámetro que los extremos para cerrar el palo. Cosa una cinta de 40,5 × 5 cm en el centro de uno de los extremos de la vara.

variaciones

damero de ganchillo y fieltro

véase el diseño básico de la página 243

ajedrez

Siga las instrucciones del damero de la página 243 para confeccionar el tablero, pero aumente el patrón para que los cuadrados tejidos midan 5 cm en lugar de 2,5 cm. Confeccione 16 cuadrados de ganchillo de 4,5 cm y borde las diferentes piezas encima: (1) rey, (1) reina, (2) torres, (2) alfiles, (2) caballos, (8) peones.

backgammon

Confeccione un tablero de backgammon cortando una pieza de fieltro de 38 × 23 cm para la base y el borde. Corte dos piezas de fieltro de 15 × 18 cm, de un color que contraste, y cósalas encima de la base de manera que quede un borde regular alrededor y entre las dos piezas. Corte triángulos de 2,5 cm de anchura y 7,5 cm de altura para cada «espacio» y seis para cada borde superior e inferior de la pieza de fieltro de 15 × 18 cm. Utilice un fieltro de otro color para cada triángulo alterno y cósalos donde corresponda. Confeccione círculos de ganchillo, como en el patrón del damero, para las fichas: 16 para cada jugador. Use un color distinto para cada conjunto de fichas.

serpientes y escaleras

Siga las instrucciones para hacer el damero y confeccione un tablero de serpientes y escaleras. Borde las serpientes y las escaleras que conectan los diferentes espacios en el tablero. Haga con ganchillo las fichas redondas, como las del damero, y cree también un dado siguiendo las instrucciones de la página 260.

go

Cree con fieltro un tablero de go. Borde una cuadrícula de 23 cm con hilo que contraste en el centro de un cuadrado de 25 cm. Confeccione con ganchillo 40 círculos negros y 40 rojos, como en el patrón para el damero.

damero de punto

Siga las instrucciones para el damero de la página 251, pero auméntelo a un cuadrado de 25 cm. Haga el tablero con hilo rojo y teja los cuadrados con hilo negro y punto duplicado. Corte dos capas de círculos de fieltro de 2,5 cm en rojo y negro para las piezas. Cosa dos capas juntas para cada pieza; confeccione 12 fichas rojas y 12 negras.

variaciones

conjunto de bolos

véase el diseño básico de la página 244

bolos con forma de seta de fieltro con aguja
Confeccione seis setas de fieltro con aguja siguiendo el patrón de la página 203. Obtendrá un pequeño conjunto de bolos. Cree una bola de 7,5 cm con fieltro y aguja.

bolos con forma de piratas de ganchillo
Siga el patrón del pirata de ganchillo de la página 140, pero suprima los brazos y las piernas para convertirlo en un bolo. Confeccione con ganchillo un círculo plano para la base y rellene el fondo con alubias para aportar peso. Cree una bola de 7,5 cm con fieltro y aguja.

bocha de fieltro con aguja
Confeccione un juego de bochas con una bola de fieltro de 9 cm para el boliche, cuatro bolas rojas de 12,5 cm y cuatro azules de la misma medida.

bolos con forma de criaturas del bosque
Haga el zorro de la página 74 y sus variaciones para crear un conjunto de bolos con forma de criaturas del bosque. Rellene las bases con alubias para aportar peso. Añada algunos detalles cosidos a la bola de fieltro para que parezca un erizo.

bolos con forma de pato
Confeccione un conjunto de diez patos siguiendo el patrón de la página 94. Prepare una bola de fieltro de 6 cm.

variaciones

miniestera de yoga

véase el diseño básico de la página 247

bloque de yoga

Siga las instrucciones para hacer las fichas de dominó de la página 255, pero corte la tira de 12 cm de longitud para confeccionar un bloque de yoga. Utilice una tela morada y omita los puntos de ganchillo.

manta de picnic de cuadros (imagen)

Cosa una manta de picnic de bebé con tela de cuadros. Corte un cuadrado de 60 cm (o del tamaño que desee) y cosa un dobladillo en torno a los bordes. Doble los bordes 1,25 cm hacia el revés y repita el proceso (doble 1,25 cm otra vez). Dé la vuelta a la tela para colocarla del derecho y cosa con puntada vista a 0,5 cm del extremo. Borde mariquitas rojas y negras sobre la tela y... ¡ya estará lista para una merienda real o con muñecos!

estera de juego con carretera

Cosa una estera de juego de 76 × 101 cm para jugar con automóviles y autobuses. Utilice fieltro verde para la base y cosa recortes de fieltro que imiten carreteras, puentes y casas. Deje volar su imaginación y añada todos los detalles que quiera.

estera de juego con granja

Cosa una estera de juego de 76 × 101 cm para los animales de la página 106. Use tela verde para la base (la hierba) y añada un estanque, arbustos y una pocilga. Puede emplear la casa de muñecas de la página 148 para representar una granja o convertirla en un granero.

estera de juego sensorial

Cosa dos capas cuadradas de tela de 101 cm para confeccionar una estera de juego sensorial. Coloque entre las capas de tela plásticos ruidosos que produzcan texturas y sonidos variados; añada colores intensos y diversas figuras sobre la estera para fomentar los estímulos. Utilice telas con textura o confeccione una parte con borlas.

variaciones

¡a pescar!

véase el diseño básico de la página 248

estrella de mar
Confeccione una estrella de mar de fieltro para pescarla con la caña. Corte dos capas de fieltro y cósalas con punto de festón. Rellene ligeramente la estrella y coloque un imán potente en el interior antes de cerrarla.

barbo
Realice un barbo, que luego podrá pescar. Utilice el patrón del pez de punto de la página 248, pero añada unos bigotes negros con hilo de bordar a ambos lados de la boca y debajo de la barbilla. Coloque un imán potente detrás de la boca, rellene el barbo y cósalo para cerrarlo.

pez ángel (imagen)
Corte dos capas de fieltro amarillo para crear un pez ángel. Utilice el pez de punto como forma base. Confeccione dos aletas en punta, que deberán salir de la parte superior e inferior del pez, con las puntas en dirección a la cola. Añada rayas verticales azules para completar su pez ángel. Introduzca un imán potente detrás de la boca y rellene la pieza antes de cerrarla.

estera de juego con estanque
Confeccione una estera de juego con estanque para que los peces «naden» cuando salga a pescar. Hágala de un tamaño que le permita añadir todos los peces y las variaciones de esta página. Use fieltro verde para la base de hierba y corte un estanque ovalado, que tendrá que coser encima.

móvil de peces
Siga el patrón del pez de punto y confeccione cinco peces de colores distintos para crear un banco de peces. Sujete cada uno a una cuerda y emplee el aro interior de un bastidor de bordar (como en el móvil de aviones de ganchillo de la página 50) para colgarlos. Ate los peces de manera que cuelguen en cascada.

variaciones

tres en raya de punto y fieltro

véase el diseño básico de la página 251

bingo de punto

Confeccione un tablero de bingo de 18 cm de anchura y 20 cm de altura siguiendo las mismas instrucciones que para el tablero. Teja el borde con punto musgo y las líneas del borde con punto duplicado. Haga cinco filas de 2,5 cm y cinco columnas de la misma medida. Cosa una estrella en el centro a modo de espacio libre y la palabra «bingo» en la parte superior de cada columna. Prepare varios tableros y cosa los números 1-75 en orden aleatorio en las tarjetas. Haga las fichas iguales que las del damero (*véase* pág. 243).

estera con rayuela

Cosa una estera con rayuela de 1,8 m de longitud por 90 cm de anchura. Corte piezas de tela cuadradas de 30 cm para cada bloque y cósalas sobre la estera. Imprima los números en papel de 21,5 × 28 cm y utilícelos como patrón para aplicar los números cosidos en la estera. Añada una base antideslizante si va a utilizarla en suelos de madera u otras superficies resbaladizas.

agarradores de tres en raya

Siga las mismas instrucciones que para hacer el tablero de tres en raya y confeccione agarradores de cocina. Cosa las líneas de la cuadrícula con punto duplicado y doble también los puntos de las X y las O con hilo naranja. Se convertirán en un divertido accesorio para la cocina.

tres en raya de tela

Corte dos cuadrados de tela de 18 cm para confeccionar un tablero de tres en raya. Borde las líneas de la cuadrícula sobre la tela y cosa las piezas con la parte delantera junta y un margen de costura de 0,5 cm. Deje un extremo abierto y dé la vuelta a la tela. Doble los bordes 0,5 cm hacia dentro y cosa con puntada vista para cerrarlos; continúe cosiendo el resto de los bordes. Cosa las X y los O de fieltro siguiendo el patrón para completar el conjunto.

tres en raya gigante

Multiplique todas las cantidades y medidas por diez para confeccionar un tablero y piezas gigantes; el tablero podrá servir también como manta.

banda y muñequeras

véase el diseño básico de la página 252

bandas de felpa para la cabeza

Confeccione bandas de felpa para la cabeza. Corte 10 cm de tela y doble la pieza 5 cm hacia abajo. Corte la longitud necesaria, como se indica en las medidas finales de la página 252. Cosa el borde largo con los lados de delante juntos y dele la vuelta. Doble los bordes cortos hacia dentro y cósalos a mano para crear las bandas.

cinta de flores para la cabeza

Confeccione una cinta para la cabeza siguiendo el patrón para la banda. Añada una margarita de ganchillo (de las variaciones de la peonía, pág. 234); se lleva a un lado de la cabeza.

puños de superhéroe

Confeccione unos puños de superhéroe a juego con la capa de la página 159. Siga el mismo patrón que para las muñequeras de punto. Utilice azul marino para la banda principal y amarillo para la raya. Borde rayos de color azul en las rayas amarillas. Cosa unos «alerones» de fieltro amarillo que sobresalgan de las muñequeras.

calentadores

Confeccione unos calentadores con punto elástico y agujas rectas. Mida la parte más ancha de la pantorrilla y divida el número de centímetros por el número de puntos por centímetro en función de la tensión. Monte 5 cm menos que la anchura medida. El punto elástico es muy flexible; por tanto, tejerlo más pequeño significa que se mantendrá pegado a la pierna. Trabaje con las agujas hasta que la pieza llegue por debajo de la rodilla. Remate y deje suficiente hilo para coser. Cosa los bordes largos con punto colchonero para cerrar la parte posterior del calentador. Confeccione la pieza para la otra pierna.

bandas y muñequeras de rayas

Utilice dos hilos de colores distintos y cámbielos cada dos filas para confeccionar bandas y muñequeras de rayas. Retuerza el hilo en el mismo lado para unir los dos colores.

variaciones

fichas de dominó

véase el diseño básico de la página 255

dominó gigante

Multiplique todas las medidas y cantidades por tres para confeccionar fichas de dominó más grandes; servirán como almohadas y cojines para el suelo o el sofá.

cartas educativas

Corte dos capas de fieltro de 10 cm de anchura por 20 cm de altura y confeccione cartas educativas. Cósales fieltro rígido o una entretela para aportar resistencia. Cosa o pegue encima imágenes distintas: el sol, las nubes, un automóvil, etcétera. Cosa el nombre del objeto en la parte posterior de cada carta.

bloques de construcción

Siga el mismo patrón que para hacer el dominó, pero multiplique por dos la anchura de la tira larga a fin de confeccionar bloques de construcción blanditos. Utilice una tela de color marrón rojizo para el bloque, de modo que imite los ladrillos, y cosa tiras finas de fieltro blanco en los bordes, como si fuera mortero. Cree diez ladrillos para construir una pared o un pavimento.

rascacielos en miniatura

Siga el patrón básico de las piezas de dominó y corte rectángulos de 22 × 12 cm por la mitad, a lo largo, para crear rascacielos. Borde pequeñas ventanas en los edificios, a diferentes alturas. Rellene la base con arroz o alubias para aportar peso. Utilice los edificios para jugar con Godzilla (variación del patrón del t-rex, *véase* pág. 96).

rompecabezas de bloques

Cosa seis bloques siguiendo el patrón para las fichas de dominó y dispóngalos planos en dos filas. Borde cada bloque de manera que juntos formen una imagen completa cuando se colocan en el orden correcto.

variaciones

atrapa la bola

véase el diseño básico de la página 256

atrapa la bola de fieltro
Confeccione el recogedor con dos capas de fieltro y una entretela a modo de refuerzo. Corte un círculo de 6 cm para la base y un rectángulo de 9 cm de altura para encajarlo alrededor del círculo. Cósalos juntos para formar el recogedor. Haga un mango de 15 cm con una capa de fieltro; rellénelo. Corte un círculo para cerrar la parte inferior y cosa el otro extremo a la base del recogedor. Introduzca una vara a modo de soporte si lo considera necesario. Haga una bola y sujétela siguiendo las mismas instrucciones que para el juego de ganchillo.

truco de magia con tres vasos de ganchillo
Siga el mismo patrón que para el recogedor de ganchillo y confeccione tres vasos con hilo del mismo color. Apriete bien los puntos para que los vasos queden rígidos. Cree una bola de fieltro de 4 cm con aguja siguiendo las instrucciones de la página 48 para completar el conjunto.

juego del palo y el aro
Siga el patrón del juego de atrapa la bola para crear el palo, así como las instrucciones de los aros de ganchillo de la página 259 para confeccionar un aro pequeño (aproximadamente, el doble de ancho que el palo). Ate una cuerda al aro y el otro extremo en el centro del palo. La cuerda ya atada debe medir 30-38 cm de longitud.

minigolf
Confeccione un minigolf de mesa tejiendo con ganchillo el recogedor y colocándolo de lado para meter la bola. Cree una bola de fieltro de 5 cm con aguja y corte dos capas de fieltro y fieltro rígido de 38 cm para coser en medio; constituirán el campo de golf.

taza de ganchillo
Siga el patrón del recogedor de ganchillo y añada un asa de 2 ps de anchura en un lado para crear una taza. Confeccione platitos 2,5 cm más grandes que la base de la taza cosiendo dos capas de fieltro. Prepare tres tazas y tres platos más para disfrutar de un juego de té completo.

variaciones

juego de aros

véase el diseño básico de la página 259

lanzamiento de herraduras

Siga el mismo patrón que para hacer los aros de ganchillo y confeccione una herradura sin cerrar los extremos. Utilice hilo gris e introduzca en la pieza un cable de tensión alta, rellene y doble el tubo de ganchillo formando una U. Cierre los extremos. Confeccione cuatro herraduras para jugar. Prepare el soporte y úselo en el juego.

pirámide de aros

Siga las instrucciones del juego de aros para realizar una pirámide de aros para los más pequeños. Ensanche el soporte central para que los aros encajen bien. Confeccione seis aros gruesos con los colores del arcoíris. Cada uno tiene que ser ligeramente más grande que el anterior, de manera que se asienten de mayor a menor en el soporte.

soportes múltiples

Confeccione varios soportes para lanzar los aros. Sepárelos bien para dificultar un poco el juego.

aros de punto

Siga el patrón del juego para hacer el soporte. Utilice el patrón del aro sonajero de la página 47 para tejer los aros de lanzamiento. Incremente el número de puntos montados para que los aros sean más grandes. Confeccione aros de diferentes tamaños para que el juego resulte más divertido.

juego de aros con soporte de jirafa

Use el patrón de los bolos de punto y borde una cara de jirafa. Añada cuernos y orejas con hilo amarillo. Será el soporte para lanzar los aros. Asegúrese de tejer los aros de un tamaño suficiente para que encajen en la jirafa.

variaciones

dados de fieltro con aguja

véase el diseño básico de la página 260

bloques de fieltro con aguja
Utilice lana de diferentes colores para componer un conjunto de seis bloques. Juegue a apilarlos y derribarlos.

dado de tela
Corte seis cuadrados de tela roja de 11,5 cm y cosa los bordes con las partes del derecho juntas y un margen de costura de 0,5 cm. Deje un borde abierto y dele la vuelta a la tela. Rellene el dado y cóselo con puntada invisible. Corte círculos de fieltro blanco de 1,25 cm para reproducir los puntos de los dados. Cósalos de manera que representen del 1 al 6 en cada cara. Repita el proceso para confeccionar un segundo dado.

dado con doce lados
Realice un dado con doce lados, con fieltro y aguja, empezando con una bola; trabaje los doce lados para aplanarlos. Convierta cada cara en un pentágono regular. Utilice hilo blanco para coser con fieltro los números del 1 al 12 en las caras. Corte el hilo cuando termine con un número y trabaje los bordes con la aguja para fusionarlos con el dado.

bloques con letras
Confeccione bloques con letras utilizando fieltro. Rellénelos. Corte todas las letras del alfabeto y algún objeto cuya inicial se corresponda (por ejemplo, A para árbol, B para barco, etcétera) y cósalos en dos caras de cada bloque.

rompecabezas de bloques apilables
Haga tres bloques que compongan una imagen completa cuando se apilen; pruebe con una jirafa, un payaso o un árbol, por ejemplo. Cree las imágenes con fieltro y cósalas sobre los bloques.

variaciones

dardos de ganchillo y fieltro

véase el diseño básico de la página 262

diana para el suelo

Cosa un círculo de 91,5 cm con tres aros en su interior para componer una gran diana de suelo. Cosa bolsas de semillas (*véase* pág. 268) a modo de «dardos» para lanzarlas sobre la diana. Borde flechas en las bolsas como si fueran dardos.

dardos de tela

Siga las mismas instrucciones que para hacer los dardos de ganchillo y fieltro, pero utilice tela de algodón para el tablero y las piezas. Corte dos círculos de fieltro de 6 cm para los dardos; cósalos con los lados derechos juntos. Deje una abertura, dé la vuelta a la tela y rellene la pieza con alubias o con arroz. Confeccione dos conjuntos de cinco dardos en dos colores distintos.

dardos magnéticos

Haga una funda de tela para una bandeja de horno y aplique tres aros en el centro a modo de diana magnética. Teja con ganchillo las piezas del juego siguiendo el patrón para los dardos de ganchillo y fieltro; introduzca un imán potente cerca de un lado y del hilo antes de cerrar los dardos.

diana con cara de payaso

Siga el patrón para los dardos de ganchillo y fieltro, pero corte una cara de payaso para coserla sobre la diana en lugar de los aros. Cosa un círculo rojo grande a modo de nariz como punto central. Utilice fieltro naranja para el pelo y blanco para el rostro. Cosa velcro del mismo color en la cara y el pelo.

variaciones

colocar la cola al burro

véase el diseño básico de la página 264

colocar la nariz al payaso

Con las mismas dimensiones que para el tablero de tela, incluya una cara de payaso sin nariz. Corte círculos de fieltro rojo para confeccionar la nariz y utilice cinta adhesiva de doble cara para jugar. Cree tantas narices como necesite para todos los jugadores.

colocar el cuerno al unicornio

Siga las mismas instrucciones que para el juego de colocar la cola al burro, pero reduzca las orejas para confeccionar un caballo. Corte triángulos de fieltro amarillo a modo de cuernos de unicornio y utilice cinta adhesiva de doble cara para jugar. Cree tantos cuernos como necesite para todos los jugadores.

colocar el colmillo al narval

Aumente el patrón de la ballena de la página 71 para confeccionar un narval que encaje en el tablero. Inclúyalo en la izquierda del mismo a fin de dejar espacio para el colmillo. Corte triángulos de fieltro largos y finos a modo de comillos. Utilice cinta adhesiva de doble cara para jugar.

caballito de juguete

Aumente la cabeza del burro en un 100% y añada un cuello para confeccionar un caballito de juguete. Corte dos capas de tela para la cabeza y el cuello del caballo; coloque las partes del derecho de manera que se toquen. Cree las orejas ligeramente más pequeñas y córtelas de fieltro. Cosa las piezas de la cabeza, rellene y añada un palo resistente en la parte inferior antes de cerrar la costura. Cosa las orejas y dé unas puntadas a modo de ojos. Añada hilo para las crines.

decoración en manta infantil

Utilice el burro como decoración central para una manta infantil. Realice una versión divertida del juego de colocar la cola cosiendo colas de tela en diferentes puntos de la manta.

variaciones

tabas

véase el diseño básico de la página 267

móvil de tabas

Confeccione con ganchillo cinco tabas y forme una bola roja de fieltro de 7,5 cm con aguja siguiendo las instrucciones de la página 48. Ate las piezas en torno a un aro interior de un bastidor de bordar de 18 cm y a diferentes longitudes.

guirnalda de tabas

Realice diez tabas y una bola de fieltro y átelas para crear una divertida guirnalda para una fiesta infantil.

corona de tabas

Haga con ganchillo 10-15 tabas y cósalas juntas para crear una divertida corona. Añada un par de bolas rojas de fieltro con aguja en una esquina de la corona.

juego de lanzamiento de tabas

Siga el patrón del juego de lanzar bolsas de semillas (*véase* pág. 268) y aplique un círculo rojo en torno al agujero central a modo de la bola que se utiliza con las tabas. Confeccione dos conjuntos de cinco tabas de ganchillo en dos colores distintos para lanzar a la bola.

palillos chinos

Siga las instrucciones para tejer con ganchillo las púas de las tabas y confeccione «palillos» de 25 cm para jugar a palillos chinos. Introduzca un palo fino en el centro para aportar rigidez. Cree 20 palillos y forme conjuntos de cinco de un color sólido. Teja un palillo con rayas para que sea el «emperador» que puede levantar otros palillos.

variaciones

lanzar bolsas de semillas

véase el diseño básico de la página 268

alimentar al payaso

Cosa una cabeza de payaso en la tela de fondo con el agujero central a modo de boca. Añada unos ojos de fieltro, una nariz redonda y roja y unas mejillas rosadas. Confeccione frutas, verduras y las variaciones del capítulo 3; llénelas de alubias a fin de convertirlas en comida, que podrá lanzar a la boca del payaso.

bolas de ganchillo (imagen)

Para confeccionar tres bolas de malabares, siga el patrón que se indica a continuación. Asegúrese de apretar los puntos; si es necesario, trabaje con un ganchillo más pequeño para que no queden agujeros, por los que podría escaparse el arroz. V1: 6 pd en un anillo mágico; V2: 2 pd en cada p alrededor – 12 ps; V3: [pd en el siguiente p, 2 pd en el siguiente p] alrededor – 18 ps; V4: [pd en los 2 ps siguientes, 2 pd en el siguiente p] alrededor – 24 ps; V5: [pd en los 3 ps siguientes, 2 pd en el siguiente p] alrededor – 30 ps; V6: [pd en los 4 ps siguientes, 2 pd en el siguiente p] alrededor – 36 ps; V7-10: pd en cada p alrededor – 36 ps; V11: [pd en los 4 ps siguientes, pd2j] alrededor – 30 ps; V12: [pd en los 3 ps siguientes, pd2j] alrededor – 24 ps; V13: [pd en los 2 ps siguientes, pd2j] alrededor – 18 ps; V14: [pd en el siguiente p, pd2j] alrededor – 12 ps; V15: pd2j alrededor – 6 ps. Utilice un embudo para llenar las bolas con arroz antes de cerrarlas.

lanzamiento de manzanas

Siga las instrucciones para la manzana de punto de la página 111. Confeccione cinco manzanas rojas y cinco verdes. Llénelas de alubias y utilícelas en un juego de lanzamiento. Emplee cestas de diferentes tamaños para añadir interés al juego.

alimentar al cachorro

Cosa una cabeza de cachorro de perro en la tela de fondo y corte un agujero a modo de boca. Confeccione figuras de hueso de tela y llénelas con alubias para convertirlas en huesos, que se lanzarán a la boca del cachorro para alimentarlo.

índice

CLAVE
CLAVE
Proyectos cosidos
Proyectos de fieltro con aguja
Proyectos de ganchillo
Proyectos de punto